À Sandrine, Édith, Nicolas et Julien, à Philippe, Valentine, Julie, Antoine, Virginie, Vaïtiare, Thierry, Alexia, Émilie, Mathieu, Jérôme, Vincent, Fleur, Céline, Simon, David, Hubert, Charles, Sylvie, Karine, Geoffroy, Thomas, Antoine, Thibaut, Benoît, Olivier, Charlotte, Frédéric, Victor, Christine, Anne, Nathalie, Juliette, Laurent, Claire, Hélène, Christophe, Fabrice, Sabine, Ingrid, Gilles, Bertrand, Renaud, Sidonie, Marie, Cécile, Clément, Delphine, Séverine, Florence, Lucie, Vanessa, Sébastien, Christelle, Sophie, Alexandre, Laure, Audrey, Pierre, Natacha, Marina, Benjamin, Éric, Jules, Brune, Camille, Clément, Margaux, Prune, Arthur, …

À vous tous, petits enfants, qui m'avez confié vos pleurs et vos fièvres.

Dr Edwige ANTIER

ITINÉRAIRE D'UN NOUVEAU-NÉ

Préface de Françoise Dolto

Du même auteur

— *Je comprends mon bébé*, Éditions Jacob-Duvernet, 2002
— *Confidences des parents*, Robert Laffont/Collection Réponses, 2002
— *Éloge des Mères*, Robert Laffont/Collection Réponses, 2001
— *Attendre mon enfant, aujourd'hui*, Robert Laffont, 2001, 1999, 1997, 1995
— *Élever mon enfant, aujourd'hui*, Robert Laffont, 2001, 1999, 1997, 1995
— *Eddy a peur du noir, etc.*, Nathan/Collection Croque la Vie, 2000
— *Je soigne mon bébé*, Balland/Jacob-Duvernet, 1999
— *Sages Paroles d'Enfant*, Édition 1/France Inter, 2000
— *Le roi Bébé* (Album de naissance), Hachette, 1999
— *Mon bébé joue bien*, Balland/Jacob-Duvernet, 1999
— *Mon bébé devient propre*, Balland/Jacob-Duvernet, 1999
— *J'aide mon enfant à se concentrer*, Collection Réponses/Fixot, 1999
— *Mon bébé mange bien*, Balland/Jacob-Duvernet, 1999
— *Mon bébé dort bien*, Balland/Jacob-Duvernet, 1998
— *Pourquoi votre enfant est fan de Disney*, Hachette, 1998
— *Je vois grandir mon enfant*, Nathan, 1991
— *Mémoires d'un nouveau-né* (Préface de Françoise Dolto), Nathan, 1991
— *Maux d'enfants*, Denoël, 1990
— *Pourquoi tous les enfants aiment Mickey*, Eshel, 1988
— *Maman écoute ton cœur*, Éditions de l'Instant, 1988
— *100 questions à ma pédiatre*, Éditions de l'Instant, 1988
— Vidéo : Naissance d'une maman, TF1 Video 1996
— ***Site INTERNET*** ***www.antierementvotre.com***

Ces mémoires d'un nouveau-né, déjà préfacés par Françoise Dolto, sont plus actuels que jamais ! Les bébés et leurs mamans ont tellement besoin d'être mieux compris et mieux protégés... Du respect qu'on leur porte dépend l'épanouissement futur de nos enfants. Or le cri d'alarme de mon héros et mes conseils se sont trouvés justifiés par les taux actuels d'illettrisme en France, comparés à ceux de la Suède : le pays où les mères sont le plus aidées (congés parentaux, congés paternels, travail à temps choisi, soutien à l'allaitement), est aussi le pays où les enfants sont les plus brillants (7 % d'illettrés contre 40 % en France). Les chiffres suivent aussi le baromètre de la politique familiale dans les autres pays occidentaux. Nous ne pouvons pas seulement accuser l'Éducation nationale, quels que soient les progrès que nos enseignants ont à faire, en particulier vers un meilleur partenariat avec les parents. Il faut reconnaître que nous leur confions à l'entrée à la maternelle des bébés insuffisamment préparés, parce que les mamans sont surmenées, écartelées entre leur travail et leur famille. Non pas que je prône le retour des femmes à la maison, absolument pas ! D'abord parce qu'il en va de notre dignité ; ensuite parce que la Suède, que je citais déjà en exemple il y a plusieurs années, est le pays où le nombre de femmes ayant une activité professionnelle est le plus élevé. Je voudrais qu'en France aussi, on aide les mères actives par une véritable politique de la famille. Les politiques m'ont souvent rétorqué que cela coûterait trop cher, mais voilà que l'on peut octroyer « les 35 heures » à tout le monde, aux personnes qui n'élèvent pas d'enfant comme aux jeunes mères et pères. Heureusement, les enfants d'aujourd'hui peuvent joindre leurs mamans partout : elles sont les premières à s'équiper d'un téléphone mobile et c'est bientôt tout leur bureau qu'elles vont transporter dans leur poche. La vraie révolution pour les bébés et leurs mamans viendra sûrement de là… et plus rien ne pourra les séparer !

Edwige Antier

En guise de préface

par Françoise Dolto

Jeunes femmes qui attendez votre premier bébé, ou qui pensez n'avoir pas bien mené l'élevage des premières semaines et des premiers mois de votre premier, et qui voulez faire mieux avec celui qui va bientôt naître, lisez ce livre, il vous aidera efficacement.

Ce n'est pas un savoir intellectuel au sens étroit du terme qu'il vous délivrera, c'est avec humour une sorte d'initiation à l'écoute de votre bébé, tel qu'il sera, imprévisible, et comme aucun autre exactement, comme vous n'êtes semblable à aucune autre femme et à aucune autre mère. Et celles qui ont plusieurs enfants sont avec chacun d'eux maternelles de façon différente.

C'est pour cela que bien des livres sont décevants, voire nuisibles, parce qu'ils donnent des conseils « valables » dans toutes les relations mère-enfant...

Le Dr Edwige Antier évite ce piège. Beaucoup d'informations sont mises à la portée de tout le monde, concernant les découvertes de ces dernières décennies sur l'intelligence et la sensibilité des nouveau-nés. Mais ce savoir n'est pas rendu inquiétant, bien au contraire. Grâce à l'humour des réflexions du nouveau-né, les parents comprendront mieux la part qui leur revient de présence rassurante, de chaleur sécurisante, de leurs caresses, de leurs paroles compatissantes, si leur nouveau-né, dans son corps, nécessite les soins, parfois pénibles, du personnel compétent de maternités hospitalières.

L'auteur de ce livre n'escamote pas le rôle de la triangulation humanisante de la relation émotionnelle « enfant-sa mère-son père ». Le rôle de ce dernier n'est pas défini non plus comme devant être « conforme » à tel modèle. Tel qu'il est, il est important pour son enfant qu'il agisse selon sa nature et son intuition de père.

Toutes les questions que se posent les jeunes mères sur le sommeil, l'allaitement, le sevrage, sont ici abordées, et il n'y est jamais répondu de façon à refermer la question par une réponse recette. C'est cela qui aidera chaque mère, au jour le jour, à s'informer de son désir, de celui de son bébé, de celui de son compagnon. Il n'y a jamais de meilleure solution que celle qui se fait jour d'elle-même, dans le croisement des désirs accordés.

Ce livre éveille aussi les parents à la dimension sociale nécessaire à la vie du nouveau-né et de l'enfant dès ses premières semaines. C'est très important. Il n'est pas bon que le bébé soit le centre unique de l'intérêt de sa mère, ce n'est bon ni pour lui ni pour elle. Le piège de cette vie à deux, ou même à trois (si le père double cette entité maternelle piégée par la fascination du bébé-roi), la lecture de ce livre permet de l'éviter.

L'être humain est un être social dès sa naissance. La mère et son enfant ont besoin de la fréquentation des autres. L'enfant peut aller avec d'autres personnes que sa mère, à condition que sa sécurité avec elle soit bien enracinée, ce qui ne veut pas dire qu'elle doive lui sacrifier sa vie sociale à elle. Tout cela à propos de l'allaitement, du sevrage, de l'éducation à la maîtrise sphinctérienne, est abordé avec bon sens, en laissant à l'intuition maternelle de chaque femme les moyens de se conforter.

Mettre un enfant au monde, c'est l'intégrer peu à peu à la société des enfants de son âge, dans une totale sécurité concernant son identité. Celle-ci s'enracine dans la tendresse de sa mère et la confiance dans ses parents, référence de soi-même pour chaque enfant.

C'est grâce au langage des échanges appris de mère et père que l'enfant, en sécurité avec eux, au contact d'autres adultes et d'autres enfants, peut être en sécurité partout où il comprend, sans ses parents, les autres et est compris par eux.

Élever un enfant, c'est le conduire à ce sentiment de sécurité et de liberté heureuse dans son environnement spatial et familial, puis social, humain.

Je crois vraiment que le livre du Dr Edwige Antier contribue à rendre de jeunes mères attentives, sans inquiétude, et capables de mener à bien cette tâche spécifiquement maternelle, qui demande d'abord pour chaque femme qu'elle fasse confiance à son intuition plutôt qu'à des principes rigides, qui soumettent mère et enfant au pouvoir des savants techniciens de puériculture, pour tout venant nouveau-né anonyme. Riche d'informations, ce livre laisse grande la part de la tendresse et de l'intelligence du cœur.

Avril 1984

Avant-propos

Si vous aviez vu comme j'étais beau !

C'était un grand jour, puisque je venais de naître. On m'avait lavé, brossé mes quelques cheveux, j'étais présentable. Avec un grand col rond, festonné, bien repassé, et un bracelet marqué Jérôme. En toutes lettres. Oui, j'existais, et tout le monde constatait que c'était bien.

« Tu sais, il est beau, ton fils... », disait-on à papa. Et il était fier.

« Il est parfait, et bien tonique », avait annoncé la pédiatre. Et maman le répétait à tout le monde.

Oui, on le trouvait « magnifique, ce petit ». Du moins ce jour-là.

Si j'y repense, voyez-vous, c'est parce qu'il est arrivé une chose terrible aujourd'hui. Cela s'est passé à l'école. Maman avait dit qu'elle sortirait plus tôt du bureau pour venir me chercher. J'étais tout content. J'ai commencé à m'inquiéter lorsque Mlle Carillon a dit : « Jérôme, je verrai ta maman à la sortie. » En général quand la maîtresse dit ça, ce n'est pas pour dire des choses agréables à maman. Pourtant ce matin, tout allait bien, je n'avais pas donné de coup de pied à Caroline, je n'avais pas bousculé Mathieu…

Alors, je ne voyais pas pourquoi elle voulait voir maman ! En tout cas, ça m'a gâché ma matinée, et je ne me suis pas précipité dans la cour.

D'ailleurs, maman n'y était pas. Elle était dans le bureau de la directrice, et avec la maîtresse, nous l'avons rejointe.

Mlle Carillon a alors sorti un canif de son tiroir et l'a posé sur la table. Les murs se sont rapprochés et le plancher s'est écroulé… C'était bien le canif de papa, en nacre, celui que j'avais apporté il y avait trois jours et que je ne trouvais plus…

Maman a poussé un cri d'étonnement.

— Il vous appartient, n'est-ce pas ? demanda Mlle Carillon.

Maman resta silencieuse.

— Voilà ce que Jérôme montre en classe ! Il a entraîné les autres et maintenant ils ont tous des canifs. Depuis le début de l'année, nous n'avons cessé de vous dire que votre fils était un élément perturbateur. Il ne montre aucune concentration. C'est un enfant agité qui agresse les autres, non seulement les agresse mais les perturbe, au point que les leçons ne sont pas apprises dans la classe.

— Mais il a eu trente séances d'orthophonie…

— Cet enfant a certainement d'autres problèmes, madame. Son père et vous, ça va… ?

— Nous nous entendons bien, si c'est ce dont vous voulez parler…

— Il faudrait que vous emmeniez Jérôme chez un pédopsychiatre.

— Un pédo… ?

— Oui, c'est très banal, madame, ne vous inquiétez

pas outre mesure. Mais nous ne pouvons garder un enfant mal adapté dans cette classe. Il faut que vous considériez sérieusement ses problèmes. Le Centre médico-pédagogique est organisé pour vous aider. Voilà son adresse.

Maman était effondrée. Elle s'y attendait pourtant un peu. À la maison, depuis longtemps, je paraissais toujours « ailleurs », n'en faisant qu'à ma tête et me roulant par terre dans de terribles colères lorsqu'on contrariait mes désirs. Seul le petit écran parvenait à me calmer.

« Ton fils est un caractériel », tel était depuis longtemps le verdict de tante Amélie.

Voilà : moi, le beau bébé « parfait et bien tonique » faisant l'admiration de tous dans son berceau, j'étais devenu « caractériel » et « mal adapté ». Et tous mes petits amis qui « ne se concentrent pas » (c'est la maladie du siècle), tous mes copains qui vont chez l'orthophoniste, la psycho-rééducatrice, le pédopsychiatre, tous ceux qui piquent des canifs et la monnaie en attendant de voler les voitures..., tant de mignons petits que j'ai connus la nuit dans la nursery de la maternité se trouvent avec moi dans les salles d'attente des CMPP (Centres médico-psycho-pédagogiques) en instance d'être « orientés » en « classes de perfectionnement » (classes pour ceux qui n'ont rien retenu).

Comment fabrique-t-on tous ces caractériels déconcentrés ?

À partir de chérubins bien voulus (pilule oblige), bien échographiés, bien oxygénés... Songez un peu ! Le spermatozoïde de mon père n'avait pas sitôt rencontré l'ovule de ma mère, et hop, la voilà dotée par la Sécurité sociale d'un carnet bleu : surveillance obligatoire, trimestrielle et gratuite. Nous, son ventre et moi, régulièrement palpés, mesurés, ultrasonés. Naissance dans un centre bien équipé, avec réanimation.

J'eus droit à tout ce qu'une société moderne prévoit

pour le bébé : lait maternisé, petits pots stérilisés, jouets sonores, mobiles, colorés et lavables, spécialement dessinés pour le développement de l'enfant, couches « hyper-douces » avec filet protecteur « jamais humides ».

Nous sommes nés dans le monde de l'Enfant-Roi.

Nous trônons sur les affiches publicitaires et des agences de mannequins spécialisées nous louent à la télévision pour le plus grand succès des publicistes. L'enfant vedette.

Alors pourquoi ? Pourquoi moi, Jérôme Bourrinet, nouveau-né parfait, suis-je devenu un « mal adapté » ? Et pourquoi mes amis des premiers jours, ceux de la maternité, sont-ils avec moi chez le psychologue ? Dans cette société qui croit « tout faire pour les enfants » ?

Eh bien, je vais témoigner. Je vais vous raconter les bruits qui courent dans les nurseries, dans les crèches, ce qu'on se dit entre bébés, les sensations d'un nouveau-né, les miennes, celles de mes petits copains aussi.

Et ma pédiatre, le docteur Edwige Antier, la première femme qui m'a tenu dans ses bras, vous dira pourquoi nous ressentons les choses ainsi. Elle vous dira tous les travaux et toutes les recherches qui s'effectuent actuellement sur les « compétences des nouveau-nés » et comment ces découvertes merveilleuses montrent qu'il faut respecter les bébés. Elle vous dira les besoins réels qu'ils éprouvent dans les deux premières années ; et qui ne sont pas forcément ceux des publicités, des présentoirs de pharmacie, et des dépliants sociaux des mairies…

C'est pour que vous compreniez mieux nos possibilités et nos besoins que j'ai décidé d'écrire mes mémoires de nouveau-né.

PREMIÈRE PARTIE

Dès la naissance, je suis compétent

Je vous entends : parlez-moi d'amour

« Cette chanson douce, que me chantait ma maman… »

Ma mère chantait quand mon oncle François arriva.

— Tu chantes toute seule ? Tu es bien gaie !

— Je ne chante pas seule, je chante à mon bébé…

— À ton bébé ? Dans ton ventre ? Tu rêves ! Comment veux-tu qu'il t'entende !

— J'en suis persuadée. Chaque fois que je commence de chanter cette chanson, il bouge doucement. Il aime ce refrain.

Mon oncle se tut. Dès qu'il fut parti, maman reprit en se balançant sur le rocking-chair :

« Cette chanson douce, je veux la chanter pour toi. Pour toi oh ma douce… »

Cette berceuse, je l'ai retrouvée plus tard, après que j'ai vu le jour, comme on dit si justement. Et chaque fois que ma mère la chante, je suis envahi par une sensation de bien-être et de chaleur : imaginez-vous balancé dans un hamac, sous un ombrage, au bord de la plage de sable chaud léchée par le flux et le reflux d'une mer tranquille. Vous me direz : c'est en juin au club Méditerranée. Eh bien non, c'était dans le ventre de maman. Et cette chanson, chaque fois que je l'entends, que je m'y replonge, je me sens apaisé…

« En suçant mon pouce, je l'écoutais tendrement… »

Dr Edwige Antier

Oui, l'enfant entend avant de naître. C'est par l'enregistrement du rythme cardiaque fœtal et des mouvements fœtaux que l'on a pu prouver l'audition de bébé *in utero*. Toutes les équipes de chercheurs ont obtenu des réactions cardiaques aux bruits extérieurs à partir de la fin du septième mois. Mais il est probable que le fœtus entend bien plus tôt. Le professeur Ogawa, en 1955, le docteur Jean Feijoo plus récemment, ont obtenu des réponses dès la fin du cinquième mois (cf. Biblio 2).

Donc, il entend dans le ventre de sa mère. Mais qu'entend-il ? Il perçoit d'abord un bruit de fond, le bruit intra-amniotique, rythmé par les battements du cœur maternel. Et il s'en souviendra. On le sait car les bruits maternels reproduits sur un disque de longue durée entraîneront chez les nouveau-nés l'arrêt des pleurs et des mouvements dans 86 % des cas, au bout de 20 à 28 secondes en moyenne. Dans 30 % des cas, ils provoqueront même un endormissement. L'idée est venue de commercialiser ce disque aux USA et au Japon où il a été vendu au rythme de cent par jour. Certes cette façon artificielle, technique, de faire régresser le nouveau-né au stade de fœtus est bien discutable. Mais l'intérêt de ces observations est de conforter la tendance spontanée des parents à prendre l'enfant contre soi, contre son cœur pour le calmer. Il ne faut pas hésiter non plus à le promener dans une poche, sans craindre de le rendre capricieux (plus il sera sécurisé, moins il sera capricieux), sans craindre non plus d'abîmer sa colonne (les petits Africains ainsi portés très tôt n'ont pas plus de scolioses que les Européens…). Simplement ce portage est bénéfique une heure, deux heures, mais non toute la journée (nous verrons par ailleurs qu'il ne dégage pas assez le champ de vision).

Ainsi baigné en permanence dans le bruit de fond maternel, rythmé par les battements du cœur — qui resteront ensuite pour lui un bruit apaisant — que perçoit le fœtus du monde extérieur ?

Tout d'abord, la voix de sa mère, qui ressort bien du bruit de fond. Elle lui parvient certes transformée, débarrassée de ses composantes aiguës, mais reconnaissable par son rythme propre et son intonation. Dès le matin, elle se détache du bruit de fond et orchestre la journée.

Et la voix du père ? Des sons extérieurs, ce sont justement les sons relativement graves qui traversent le mieux la paroi abdominale sans distorsion importante. À tel point qu'un conditionnement semble même possible : quelques mots bien précis, dits par le père de façon répétitive pendant la grossesse dans un climat de détente, calmeront ultérieurement les pleurs du nouveau-né. Cela a été tout au moins vérifié par certaines études (cf. Biblio 2).

La musique est également perçue. D'abord les sons graves (300 Hz) puis progressivement plus aigus (200 Hz) en fin de grossesse. Un climat musical harmonieux est même certainement agréable au fœtus. En revanche, il est stressant pour lui d'être entraîné avec sa mère dans une de ces boîtes « rock » ou « disco » où les normes de sécurité en matière de décibels sont de loin dépassées. La future maman vous dira alors combien l'enfant s'agite dans ces endroits très bruyants. La nocivité de ces stress acoustiques semble être confirmée par les observations faites en bordure de l'aéroport d'Osaka : plus les femmes enceintes ont vécu dans un bruit intense (surtout au-dessus de 85 décibels, ce qui correspond au niveau sonore d'un orchestre symphonique), plus sera importante la proportion de nouveau-nés hypotrophiques (pesant moins de 2 500 g à la naissance).

Jérôme

Ainsi, maman, ton impression était la bonne, dans ton ventre j'entendais. Les battements de ton cœur rythmaient déjà le temps qui passait, les journées commençaient avec tes paroles. Tes chansons me berçaient et la voix grave de mon père m'apprenait le monde extérieur. Parce que tu le sentais, tu as remplacé l'aspirateur par le balai silencieux, tu ne dormais pas dans la chambre sur la rue et tu entraînais tes amis dans ce bistrot où la musique était douce. Tu as refusé le vacarme et le silence car tous les sons qui étaient harmonieux pour toi, je les entendais et je les aimais.

Dr Edwige Antier

Si l'enfant encore protégé par le cocon maternel est déjà sensible aux bruits qui l'environnent, le prématuré, directement plongé dans notre monde, l'est plus encore. Il réagit aux sons par des mouvements, des clignements de paupières… et les réponses électro-encéphalographiques aux intonations montrent qu'il les intègre au niveau de son cortex cérébral dès le huitième mois après la conception. Or, dans quelle ambiance sonore se trouve le prématuré quand il a un problème vital — et c'est fréquent !

Jérôme

Ce qu'entend un prématuré ? Mon ami Benoît pourrait vous le dire.

Benoît

J'ai voulu découvrir le monde beaucoup trop tôt et suis sorti à huit mois du ventre de ma mère. C'était merveilleux, facile, rapide, mais je ne savais pas que j'étais trop petit pour respirer. Aussi ai-je été d'emblée précipité dans un univers électronique. On m'a tout de suite mis des tubes à tous les endroits possibles, les narines, la bouche, les veines, je vous passe les détails. J'ai entendu pour commencer de gros bruits d'aspiration, un vrai tonnerre dans ma gorge, dans mon nez, puis une soufflerie régulière est venue au secours de mes poumons. Son bruit sourd suivi d'un claquement de soupape ne me quittera pas de seconde en seconde pendant deux jours : psschitt, spsschitt, clac, psschitt, psschitt, clac. Son rythme est entrecoupé par un bip bip aigu qui trotte plus vite, au rythme de mon cœur. Si je remue trop fort, une grande sonnerie retentit et l'infirmière se précipite : « Allons, mon petit, cesse de gigoter, tu décolles à chaque fois ton électrode ! » Elle retourne à son bureau, auprès du petit poste de radio qui lui rappelle, la pauvre, que la vie des adultes parlants continue à l'extérieur : « Gorbatchev est apparu en public aujourd'hui… » Et j'essaie de m'endormir en me concentrant sur le ronron de fond que fait la chaufferie de ma boîte. Mais cela fait à peu près ça : ron ron ron ron bip bip psschitt psschitt, « une bombe a explosé à Paris rue de Rennes », psschitt psschitt clac scratch scratch scratch (elle m'aspire), bip bip psschitt clac ron ron TIIIILT, ça y est, j'ai encore bougé ! « Allons, mon petit, dors un peu ! » C'est vite dit… J'ai l'impression de vivre 24 heures sur 24 dans un flipper !

Dr Edwige Antier

Cet environnement technique a été une révolution dans la médecine des nouveau-nés.

L'arrivée des microprocesseurs a permis à des équipes médicales et paramédicales spécialisées de s'organiser sans interruption autour des prématurés. Ainsi peut-on sauver chaque jour des milliers d'enfants et épargner à des dizaines d'autres des séquelles gravement invalidantes.

Mais, en même temps que les problèmes de la survie d'abord, des séquelles ensuite, étaient en grande partie surmontés, l'observation plus fine de ces petits êtres, non encore réellement aptes à vivre, a permis de mieux comprendre combien des besoins moins immédiatement vitaux que l'oxygène, la chaleur, le sucre étaient tout aussi fondamentaux pour leur devenir. C'est le cas en particulier de l'environnement sonore naturel.

On a donc beaucoup diminué le niveau sonore dans les centres de soins aux prématurés : les incubateurs sont plus silencieux, et les monitorings bruyants sont supprimés dès que l'amélioration des fonctions vitales le permet.

Mais surtout, ces centres ont ouvert leurs portes aux parents. En respectant les précautions d'hygiène nécessaires, le père et la mère ont pu voir, toucher, nourrir leur enfant et lui parler. On s'est ainsi rendu compte que la présence de la mère auprès de son enfant en couveuse exerce une action favorable sur le développement, l'état physiologique, la courbe de poids et la résistance aux infections du prématuré.

Jérôme

Deux jours après ma naissance, quand maman fut un peu reposée, tout le monde put venir m'admirer.

— Le petit bébé à son papa…

— Le petit trésor à sa maman qui calmait ses petites coliques en suçant son poupouce.

— Mais vous n'avez pas fini de gnagnafer de façon aussi ridicule ! s'horrifia tante Catherine. Vous ne pourriez pas rester naturels et lui parler de façon intelligente, à cet enfant ! Et ce ton aigu ! Pourquoi dès que vous vous adressez à lui, vous croyez-vous obligés de percher votre voix à la dernière octave ! Si vous voyiez comme vous êtes comiques !

Maman prit un petit sourire gêné et changea de ton :

— C'est vrai, il ne faut pas t'apprendre à parler bébé. Pourtant, tu as bien mal au ventre, n'est-ce pas mon petit Jérôme ?

« Tiens, qui c'est celle-là ? me suis-je dit. Elle a bien la tête de ma mère… Mais la voix, oh là là ce n'est pas ça. Étrange. » Maman s'aperçut que je n'accrochais pas et, dès lors, s'éleva à la conversation des grands : le temps qu'il fait, le prix d'un magnétoscope, ou le dernier mariage de Liz Taylor. Bref, les sujets courants dont parlent les adultes. Bien sûr, je n'y comprenais rien, de toute façon je ne reconnaissais plus sa voix, elle avait pris le même ton que les autres, se perdait dans leur brouhaha, et ce qu'ils disaient, je vous l'avoue, me passait bien au-dessus de la tête.

Quant à mon père, il se demandait effectivement ce qui lui prenait de bêtifier comme ça. Vraiment, ces enfants, ça vous fait faire de drôles de choses ! Il avait l'air maintenant tout renfrogné.

L'ambiance était cassée. Car moi, je vais vous dire, je trouvais ça très bien quand ils me disaient n'importe quoi avec leur petite voix faite aiguë. C'était justement celle que je percevais le mieux. Et les petits mots qui se ressemblent, qui se répètent... C'est ce que j'aimais. Sans doute, la tante Catherine m'aurait-elle dit : « Cher enfant, que pensez-vous de cet ingénieux dispositif que la nature a mis à votre disposition dans votre main contre les énervements des nourrissons ? »

Laissons dire... Je savais qu'aussitôt la tante partie, tu retrouverais chère maman, toute pudeur cessante, ta petite voix de comptine qui m'enchante, celle qui nous reliait, par laquelle je vivais et tu appartenais à mon monde. Maman, comment savais-tu que c'est cette petite voix-là qui justement m'enchantait ?

Dr Edwige Antier

Oui, c'est ce ton que vous prenez spontanément pour vous adresser à votre bébé qui lui plaît. Pourtant, combien de mères, déjà bien étonnées d'apprendre que l'enfant les entend, me regardent incrédules lorsque je leur dis dès les premiers jours : « N'hésitez pas à lui parler, à chanter pour lui, il vous entend et dans quelques jours il saura que c'est vous qui lui parlez », incrédules, mais vite ravies parce que confortées dans leur « parler bébé » instinctif auquel elles peuvent alors librement laisser cours. Car pour être reconnue, il faut que la mère s'adresse à son enfant de la manière habituelle qu'intuitivement elle utilise pour établir un dialogue privilégié avec lui. Que la cadence et le ton de sa voix changent, deviennent différents de ceux qu'elle prend spontanément pour parler au bébé, et l'enfant ne différenciera plus cette voix de celle d'une étrangère et se désintéressera assez rapidement de ce type de stimulation.

Ce sont les indices d'intonation de la voix qui permettent à l'enfant d'identifier celle-ci quand sa mère n'est pas présente dans son champ visuel. Ces constatations, que le puritanisme hygiénique des années 50-60 avait tenté d'étouffer en Europe, s'imposent à ceux qui écoutent les mères d'autres cultures que la nôtre s'adresser à leur enfant. Ce comportement de la mère, ce « parler bébé » avec un ton et des mots que l'on utilise spécialement pour lui, retrouvent une virginité scientifique avec les travaux actuels.

Votre enfant vous entend, vous reconnaît, gazouille et sourit dès que vous vous adressez à lui. Très vite ses « arrheu » vont se transformer en « papa-maman » voisin dans toutes les langues, puis ce sera « encore » et « donne-moi à boire », et bientôt « maman, Édith m'a pris ma poupée, dis-lui de me la rendre ». En français, alors que sous d'autres latitudes ce sera en anglais, en arabe ou en russe. Comment ce petit nouveau-né de trois kilos que l'on croyait encore, il y a quelques années, sourd et aveugle, va-t-il en quelques 24 mois comprendre puis utiliser une structure aussi complexe qu'une langue ?

À la naissance, l'enfant possède un système de reconnaissance auditif entièrement fonctionnel. Ce système de détection permet de reconnaître les sons du langage reçu dès les premiers mois et de discriminer entre les syllabes entendues.

Avec la répétition, l'environnement linguistique va régler ce système en exacerbant sa sensibilité pour les sons les plus courants dans la langue maternelle, au détriment d'autres sons, jamais utilisés. Ainsi le milieu opère une sélection entre les innombrables capacités perceptives du départ (cf. Biblio 2).

La perception et l'acquisition du langage représentent un exemple parfait de l'organisation sensorielle de l'enfant à la naissance : le bébé ne vient pas au monde avec des modèles préalables mais avec une stratégie de recherches d'information (Marshall Haith).

Les capacités inscrites dans son patrimoine ne sont dès lors pas limitées mais infinies. Il ne va pas pouvoir développer toutes ces capacités, parce que des choix sont obligatoires : si certains enfants ont la potentialité d'être champion cycliste et musicien de génie… il y a peu de chance pour qu'ils puissent être plus tard les deux à la fois.

Le milieu, par ses stimulations et ses lacunes, va avoir pour effet de sélectionner certaines capacités, de favoriser leur développement à leur maximum au détriment d'autres, qui existent tout autant au départ, mais qu'il va falloir obligatoirement sacrifier. C'est au prix de ces pertes que d'autres potentialités pourront se développer au mieux. Tenter de ne rien perdre peut exposer à ne rien réussir parfaitement.

Alors, un « bon milieu » est un entourage qui vous permet de développer le maximum de vos capacités le plus harmonieusement possible. Mais l'environnement ne permet de développer qu'une potentialité qui existe au départ. On peut dès lors affirmer que c'est la rencontre de l'inné et de l'environnement qui donne l'acquis.

Cette conception est vérifiée par l'exemple suivant (cf. Biblio 2) : les bébés français, thaï ou japonais ne diffèrent pas dans leur perception des phonèmes jusqu'à l'âge de deux ou trois mois. Puis, étant donné le milieu linguistique dans lequel ils baignent, il y a des capacités qui s'estompent et finalement il n'y a plus que les perceptions phonétiques des adultes et de leur culture qui demeurent. Un adulte français distingue facilement les deux phonèmes RE et LE. Les adultes japonais, eux, ne le peuvent plus (ils ne sont pas utilisés dans la langue japonaise). Mais les bébés japonais, eux, les distinguent encore.

Est-ce à dire que pour utiliser au maximum les capacités de départ, il faut soumettre le bébé à cinq, dix langues, et qu'ainsi il les saura toutes ?

Non, parce que le développement de certaines capacités exige le repos des autres, et trop de stimulations empêchent une progression harmonieuse.

On pourrait cependant beaucoup mieux utiliser les potentialités du nourrisson et du jeune enfant que nous ne le faisons actuellement en France. L'expérience montre que le milieu peut apporter avec bénéfice deux langues et une culture musicale riche. C'est pourquoi il me paraît être d'une grave insuffisance de n'apprendre à nos enfants la langue anglaise, si fondamentale pour leur intégration au monde actuel, qu'à partir de l'âge de onze ans.

C'est dès la maternelle que l'anglais devrait faire partie de leur environnement quotidien. Lorsque cela est mis en pratique, on remarque que les enfants apprennent sans peine et ont un accent excellent, meilleur que celui de n'importe quel Français ayant appris l'anglais à l'âge adulte, même par un séjour prolongé en pays anglo-saxon. Et pour ma part, je n'ai jamais entendu de ces bégaiements qui surviendraient dans l'apprentissage des deux langues. Je pense qu'il suffit que la mère ait avec l'enfant un comportement cohérent, parlant, elle, quels que soient ses projets, sa langue maternelle, la langue dans laquelle elle pense ; et l'enfant pourra parfaitement apprendre en second, des autres cette fois-ci, une ou deux langues supplémentaires sans être troublé.

Ainsi, si nous voulons ouvrir à nos enfants tous les choix pour l'avenir, il faut pour cela qu'ils entendent et parlent la langue quasi universelle qu'est aujourd'hui l'anglais, dès l'âge de trois ans.

Intégrer des enseignants de culture anglo-saxonne dans chaque classe maternelle, deux heures par jour, apporterait un grand progrès dans l'adaptation de nos enfants au monde actuel. C'est une des leçons de cette meilleure connaissance des compétences du nouveau-né.

Ma mère est devenue transparente

Jérôme

Lorsque j'ai commencé à vous expliquer ce que nous ressentions, nous, les bébés dans le ventre de notre maman, mon monde était encore caché, sous-marin et vous n'étiez pas obligé de me croire, même si ma pédiatre vous a fait part des travaux qui commençaient à passionner les « bébologues ». Mais aujourd'hui on vient nous scruter de tous les coins du monde avec des sonars.

Lorsque ma mère va livrer son ventre à l'introspection de l'échographiste, je le sais parce qu'elle se retient depuis des heures pour emplir sa vessie qui comprime de plus en plus ma poche des eaux, et j'ai l'impression d'être dans un ballon surgonflé. Papa essaie de venir avec elle, et la voilà qui s'allonge sur la table du gynécologue. Je sens la caresse balayer son ventre avec une impression de fraîcheur comme lorsque le médecin lui fait des massages avec une crème de beauté. Mais soudain, tout se gâte et je sens maman complètement tendue, puis je perçois comme un butoir venir vers moi dans la pénombre de mon nid bien chaud. Alors je me pousse, je fuis l'instrument indiscret. Mais cette sorte de nez de requin n'a pas l'air de beaucoup s'en soucier et se promène autour de mon aquarium, me cherche, en insistant par moments ; et je cesse mes galipettes ! Avec maman qui retient son souffle, la vie est comme suspendue.

Dr Edwige Antier

Le corps de la mère devient aujourd'hui totalement transparent devant la sonde de l'échographiste. Grâce à sa technique par ultrasons, il peut envoyer des ondes qui sont réfléchies par le corps du fœtus et permettent de vérifier non seulement ses structures, son corps, son anatomie, mais aussi ses mouvements, ce que « futur » fait, lui-même, avec ses membres et ce que fait le sang à travers son cordon pris dans son petit corps : ce qu'on appelle le Doppler. Aujourd'hui, grâce à la technique d'échographie en trois dimensions, on arrive à voir de mieux en mieux les surfaces et les volumes des organes comme les reliefs de la peau ; et l'on arrive à pouvoir donner à la future maman une photographie très proche du réel.

Jérôme

C'est terrible de se sentir ainsi démasqué ! Déjà, il y a quelques semaines, l'échographiste s'est attardé sur mon sexe. Je n'ai pas entendu précisément ce qu'il disait, mais maman a poussé un petit cri, elle a sursauté, mon cœur s'est accéléré et j'ai compris qu'il lui disait ce que j'étais. Je ne suis plus un futur bébé, mais bien son petit garçon qu'elle connaît déjà, alors que je ne suis pas encore venu au jour. C'est tout à fait étrange d'être ainsi démasqué.

Dr Edwige Antier

Mon maître Michel Soulé a parlé d'« interruption volontaire de fantasme » devant la révélation du sexe par l'échographie. 75 % des parents demandent à connaître le sexe de leur enfant. Ils ont ainsi l'impression de pouvoir mieux se préparer à sa venue, lui trouver un prénom, choisir la couleur de la layette, mais surtout se préparer psychiquement ; surtout lorsque ce n'est pas le premier enfant, ils veulent éviter d'être déçu au moment de la naissance, si c'est à nouveau le même sexe que le précédent. En effet, cette anticipation est certainement utile, mais modifie considérablement l'alchimie de la naissance et la force qu'avait la révélation du sexe à ce moment-là. Bébé a maintenant perdu son effet de surprise théâtrale.

Jérôme

Aujourd'hui je baigne dans une atmosphère très étrange. Mon liquide est devenu de plus en plus acide au fur et à mesure que le rendez-vous d'échographie se précisait. Lors de l'échographie précédente, le docteur avait imposé un nouveau rendez-vous avec un confrère spécialisé pour mon cœur, qui allait le scruter particulièrement. Aussi maman se fait du mauvais sang, mais également du mauvais liquide amniotique, et je la sens beaucoup plus immobile sur le lit que lors des examens précédents. Son cœur bat vite et le mien aussi. La sonde est orientée vers la même direction depuis le début et voilà un long moment que tout est tendu vers ce point au milieu de mon petit thorax. Et puis, enfin, le spécialiste relâche cette pression insistante et attend quelques secondes pour dire des mots qui, visiblement, soulagent maman. Je sens son diaphragme se relâcher et son cœur s'accélérer. J'entends sa voix légère et mon cœur aussi se met à battre une sonate joyeuse. Le voilà qui s'emballe de bonheur. Je les sens contents autour de moi.

Dr Edwige Antier

Les spécialistes du cœur fœtal, ainsi appelés à vérifier l'anatomie du cœur du bébé, ont en effet la preuve que le fœtus perçoit les émotions de sa mère. Lorsque l'on dit

« le cœur est normal ! », le tracé de l'échographie objective le changement de rythme du battement cardiaque fœtal. Ainsi, le bébé perçoit ce que ressent sa mère. Les hormones du stress ont traversé le cordon et pénétré dans le liquide amniotique, elles imprègnent le fœtus, catécholamine et endorphine. A l'inverse, le bonheur de la mère, son état de détente est perçu par le fœtus. Et il s'en souviendra ! On a pu montrer que, après la naissance, les bébés d'aujourd'hui se calment lorsqu'ils entendent le générique du feuilleton préféré de leur mère pendant le congé prénatal.

Récemment, la technique de l'échographie a considérablement progressé. Aujourd'hui la précision de l'image obtenue est étonnante. Les moyens informatiques ont permis d'améliorer encore les résultats grâce à l'électronique numérique. En codant le résultat par une palette de couleurs, l'image de l'embryon devient beaucoup plus lisible. Cette échographie « morphologique couleur » rend les contrastes et les formes spectaculaires. Ces images montrent à la fois la surface du fœtus, sa peau, l'extérieur de son corps, mais aussi l'intérieur, par transparence. Grâce à la technique en trois dimensions, on a franchi encore un pas dans l'émerveillement, mais aussi dans la précision. Alors, c'est vrai, cette transparence engendre une façon nouvelle d'envisager l'existence du fœtus et fait naître une « poésie obstétricale », comme s'émerveille l'échographiste Rodolphe Gombergh.

Jérôme

En tout cas, grâce à ces progrès, aujourd'hui, on croit ce que disait ma mère, persuadée que j'entendais et percevais le monde extérieur dans ma bulle et que j'avais déjà une véritable personnalité. Maintenant, on sait que c'est vrai. Je m'exerce joyeusement à faire des galipettes, alors qu'autrefois, elle doutait de ses perceptions en se demandant si elle m'avait bien senti bouger. Elle me voit à l'écran, elle sait qu'elle ne rêve pas. Cela me donne une existence et une légitimité qui me vaut plein d'égards. L'échographiste expliquait à maman que je faisais même marcher mon thorax pour me préparer à respirer. Mais il sait très bien qu'il n'y a encore que de l'eau dans mes poumons, c'est seulement un petit exercice en préambule. Mais cette sonde est vraiment indiscrète, alors que je m'en éloignais et saisissais mon pouce pour me rassurer, il en a saisi l'image et dit à ma mère que je serai un « suceur de pouce ». Il m'a aussi surpris en train de jouer avec mon cordon, et m'a traité de « petit coquin ». Finalement, ce fut très sympathique. J'ai eu l'impression en rentrant à la maison que maman mettait, avec un plaisir encore plus grand, ses mains sur son ventre.

Dr Edwige Antier

L'échographie a en effet apporté la preuve de tout ce que les chercheurs en bébologie mettaient de longues expériences à prouver. On voit le bébé *in utero* déglutir à grandes goulées après avoir injecté quelques gouttes de sucré, et bouder son liquide lorsqu'on a introduit une larme d'amertume.

On le voit même sauter joyeusement quand sa mère éclate de rire, ce qui prouve bien la transmission des émotions. Quel plaisir de voir son bébé se nourrir *in utero*, à le voir bâiller, jouer ou sucer son pouce ! Mais il faut aussi bénir cette technique qui permet d'explorer les organes les plus précieux, non seulement le cœur, mais les hémisphères cérébraux, et les petites cavités à l'intérieur du cerveau qui permettent au liquide précieux de circuler pour le protéger.

Jérôme

Cet examen est vraiment très indiscret. Non seulement le médecin a vu que j'étais un garçon, mais il m'a surpris en train de faire pipi et là j'ai perçu les éclats de rire de ma mère. A la sentir aussi joyeuse, j'ai compris qu'elle serait passionnée par mon existence et que j'entrais dans une famille où je serais le bienvenu.

Dr Edwige Antier

En effet, les échographistes surprennent fréquemment les jets urinaires ; les bourses, la verge sont bien visibles pendant l'examen. « Ni Jules Vernes, ni Léonard de Vinci, ni même Freud, en leur temps, n'avaient imaginé que l'enfant urinât dans le ventre de sa mère, et pourtant, il fait bel et bien pipi, la preuve ! Du canal de l'urètre, l'urine s'écoule dans le liquide amniotique par l'orifice urinaire. » – Gombergh (*Avant de Naître* – Robert Laffont). Le Docteur Rodolphe Gombergh, échographiste visionnaire qui nous permet, par ses images à la pointe du progrès, de comprendre le bébé *in utero*.

Jérôme

J'ai ainsi pris une identité au fur et à mesure que le docteur disait déjà à mes parents que j'étais vraiment un bébé très vif et très intéressant. Alors, ils ont eu envie de me rencontrer avant même que je naisse et ils sont allés chez une dame qui a invité papa et maman à mettre leurs mains sur le ventre et à m'appeler. Je sens très bien quand mes parents se parlent doucement et posent leurs mains sur le ventre. Ils m'appellent et espèrent que mon genou ou mon pied vont venir toucher la paume de leur main. Voilà des séances très douces où j'ai l'impression moi aussi de commencer à les connaître.

Dr Edwige Antier

Les séances d'haptonomie sont très appréciées des parents. Elles leur permettent d'effectuer des gestes pour le bien-être de l'enfant et leur apportent une véritable communication affective, entre eux et le bébé. Ces séances doivent être guidées par une sage-femme, un médecin ou un psychologue bien préparé pour apprendre au couple à entrer en communication avec le bébé, car l'haptonomie se veut l'art de créer et d'approfondir la relation affective entre l'enfant et ses parents par un contact particulier, doux, ni possessif, ni dominant. L'objectif est d'entrer en relation avec son enfant, dès sa vie intra-utérine, par de la tendresse, du respect, de l'amour. On peut comprendre, à la lumière des progrès concernant la science du fœtus, que les parents bien informés aient envie déjà de l'entourer de tendresse. Et cette relation privilégiée se poursuit dans la continuité, lors de l'accouchement et après la naissance, j'ai pu le constater dans ma pratique.

Je ne pourrais dire si la démarche même de faire une préparation haptonomique prouve que les parents sont déjà dans cet état d'esprit, ou si c'est l'haptonomie elle-même qui les rend aussi sereins et complices, mais je peux affirmer qu'après la naissance, ils sont des parents détendus. Et bébé vient dans un foyer plus harmonieux.

Jérôme

L'accouchement a quand même été très difficile, parce que je me présentais un petit peu de travers et l'accoucheur n'a pas voulu faire de césarienne. C'est vrai qu'il a réussi à bien me tourner et à me faire sortir, mais je sais que tout le monde a eu très chaud. Moi, pendant cet accouchement, je dormais, jusqu'à ce qu'on coupe mon cordon. Et alors, je me suis éveillé et j'ai poussé un cri tonitruant qui a comblé mes parents de bonheur. Aujourd'hui dans ma chambre, j'adore que maman se penche sur moi pour me parler avec son petit ton spécial qu'elle prend quand elle n'existe pas pour elle-même, mais qu'elle est toute maman. Mais je suis bouleversé quand elle parle avec la sage-femme de ce qu'elle a ressenti terriblement pour me mettre au monde : l'espoir que j'allais venir en douceur et puis le cliquetis des armes, pardon des « forceps » et papa qui ne savait plus où se mettre et se réfugiait près de la tête de maman, fermant presque les yeux et moi qu'on allait chercher, l'accoucheur totalement concentré et transpirant au-dessus de ma tête. Elle a eu très peur et, malgré la péridurale, elle a ressenti ma naissance comme violente et bouleversante. Lorsqu'elle en parle à la sage-femme, je suis complètement pétrifié et mon cœur s'accélère.

Dr Edwige Antier

Quand Françoise Dolto disait que les nouveau-nés comprenaient les paroles de leurs parents, on la prenait pour une folle. Mais les chercheurs ont approfondi leurs travaux et enregistré les rythmes cardiaques des nouveau-nés, témoins de leur degré de vigilance aux propos tenus autour d'eux ou vers eux. Et ils ont montré l'extraordinaire séance suivante :

— Lorsque la mère et la sage-femme parlent de choses ordinaires : le temps qu'il fait, le changement de monnaie, beaucoup de travail dans le service, le cœur du bébé a un rythme régulier et calme.

— Lorsque la maman se penche pour parler au bébé avec ce « baby-talk », comme disent les Américains, ce ton spécial que l'on prend pour entrer en communication avec le tout petit, le rythme cardiaque du bébé s'accélère. Puis lorsque la mère revient à une conversation banale avec son entourage, le bébé est à nouveau paisible et indifférent.

— Mais lorsque la mère parle à la sage-femme, sans s'occuper du bébé, des affres de son accouchement ou d'une contrariété importante qui la touche mais qui concerne aussi l'enfant, le rythme cardiaque de celui-ci se modifie à nouveau.

Autant dire qu'il a une intelligence sensorielle qui capte les émotions.

Les travaux les plus récents en imagerie médicale du cerveau ont montré que, pendant la première année, l'hémisphère droit et l'hémisphère gauche travaillent à égalité ; alors qu'à partir de la deuxième année, au moment où se construit le langage au sens grammatical, l'hémisphère gauche prend le dessus. Or, l'hémisphère gauche permet l'organisation de l'intelligence sous forme rationnelle, alors que l'hémisphère droit est moins spécialisé mais plus sensible à l'émotion. Il travaille beaucoup plus chez le nouveau-né qui ne peut pas analyser le sens de chaque mot dans une phrase, mais perçoit le sens émotionnel. Lorsque sa mère évoque un problème qui les concerne tous les deux et qui la bouleverse, il capte l'information. On retrouve donc, grâce à ces travaux récents, la preuve de ce que Françoise Dolto, avec son génie propre, avait affirmé. Et l'on peut être certain qu'au fil des années qui viennent, le corps humain devenant de plus en plus transparent sous la compétence des spécialistes de l'imagerie, nous allons en apprendre de plus en plus sur ce fœtus, même si, bien sûr, il gardera toujours cette immense part de mystère propre à tout être humain. Avec son destin unique.

Je vous vois :
mes yeux dans vos yeux

Jérôme

En ce deuxième jour de ma vie, vous n'avez vu de moi qu'un toupet de cheveux sur le crâne dépassant du joli drap. Ma grand-mère avait décidé qu'il fallait me coucher à plat ventre comme tous les nouveau-nés de sa génération. J'avais déjà le bout du nez râpé par le drap, la vue perdue dans le fond du lit, mais elle disait que cela n'était pas grave, puisque je n'avais que deux jours, et qu'à deux jours on n'y voit rien.

Ma mère me prenait lorsque j'avais faim, mais alors j'étais tellement excité que je n'avais pas envie de faire de l'exploration tous azimuts ! Après, à la vérité, le sommeil m'envahissait doucement. Et hop, retour au plexiglas. C'était froid, raide, mais il paraît qu'il fallait m'y laisser pour que je ne devienne pas trop capricieux…

Ce fut donc ce jour-là que commencèrent vraiment les visites. Je passais de bras en bras. Les mamies se chipotaient pour savoir si mon profil aquilin tenait plutôt des Chartier ou des Bourrinet.

— Oh ! Il ouvre les yeux ! Tu crois qu'il me voit ? demanda grand-père Bourrinet, attendri.

— Bien sûr que non, à cet âge ! répondit catégoriquement mamie Chartier (j'apprendrai qu'elle est toujours catégorique).

On me reposa, ouf! dans les bras de ma mère, côté face, et je pus enfin me détendre et inspecter tranquillement. Mais arriva l'oncle Alfred avec son Nikon.

— Tu crois que le flash est nocif pour lui ?

— Mais non puisqu'il ne voit pas...

Évidemment, pleins flashes sur moi. Regardez les photos, j'ai des yeux de lapin russe. Sur les premières, parce qu'après j'ai compris, j'ai baissé le rideau. Ça fait mal, quoi qu'ils disent, ces flashes dans les yeux, quand vous sortez à peine de la douce obscurité du ventre maternel.

Mon frère Renaud est entré par la fenêtre. Heureusement qu'avec ses sept ans il n'était pas trop lourd et que nous étions au rez-de-chaussée. Les enfants sont interdits dans les maternités. « Par arrêté préfectoral », avait dit la directrice. Il paraît qu'il y a plus de microbes dans la gorge de Renaud que dans celle des gens âgés.

Pourtant, le grand-père Bourrinet toussait à s'en arracher les bronches et fumait sans arrêt... Quant à l'eau des vases, en vingt-quatre heures, elle était devenue toute trouble. Et vous savez, on l'aime ma maman, elle en a reçu des fleurs ! Leur eau ressemblait à celle du Mékong, mais il paraît, là encore, que la gorge de mon frère, c'était plus dangereux. Maman n'en croyait rien, et voilà donc devant moi la frimousse de mon aîné passé par la fenêtre. C'était drôle, ça bougeait, c'était très chouette. Mais il faut qu'il s'en aille vite, par le même chemin, avant qu'une infirmière ne surgisse.

Ce fut ensuite Mme Gaspi, une collègue du bureau. Puis M. et Mme Friboulet, des voisins. Ils s'installèrent... Ce fut la parlotte, la parlotte, ils n'en finissaient plus.

Le soir vint. Ils partirent enfin ! Ma mère tout doucement se glissa plus au fond de son lit et me pelotonna contre elle. J'avais devant moi l'ovale de son visage, auréolé de ses cheveux dorés par un rayon de soleil. Son cou était souligné en rond par la chemise de nuit. J'ouvris bien les yeux et les promenai tout autour d'elle, puis je revins à son regard. Je vis qu'elle en était toute contente mais incrédule. Mamie Chartier et les infirmières avaient dit que je ne voyais pas. Elle n'a pas osé demander au docteur, elle devait trouver la question ridicule. Puisque tout le monde disait que je ne pouvais pas voir ! Pourtant, je regardai pendant plusieurs minutes, facilement, tout autour d'elle, puis plus loin, mais les dessins de la tapisserie étaient tout flous. Alors, je revins à ses yeux, et je m'endormis béatement.

Dr Edwige Antier

Ainsi l'enfant verrait dès la naissance ?

Oui, dès la naissance.

Comment le sait-on ?

La vision du nouveau-né a pu être maintenant bien étudiée grâce à des cibles dont les dessins ont des différences calculées. L'observateur se place derrière elles et observe scientifiquement les réactions oculaires du bébé. Les endroits sur lesquels le regard se fixe particulièrement reviennent plus souvent et la durée de cette fixation augmente. Ces observations, faites par de nombreux groupes de chercheurs, permettent d'affirmer de façon concordante que le bébé voit dès la naissance. Il voit précisément à 18-20 centimètres. Ce qui correspond à peu près, pour un bébé tenu dans les bras, à la distance du visage maternel.

Plus loin, les motifs de la tapisserie sont en effet complètement flous, comme tout près les broderies du drap, car si le nouveau-né voit très bien à 20 centimètres, il n'accommode pas du tout. C'est-à-dire qu'il ne peut pas « mettre au point » comme un appareil photographique plus près ou plus loin, de façon à voir nettement. À la naissance, la vision précise est fixe à vingt centimètres.

Cela évoluera très vite, à trois mois il accommodera mieux qu'un adulte. Il verra donc très près et plus loin.

Jérôme

En quelques semaines se passèrent pour moi des choses extraordinaires.

Dès les premiers jours, comme je vous l'ai dit, je voyais surtout le contour du visage de ma mère, la lumière qui l'éclairait, ses cheveux. Dès un mois, je reconnaissais très bien ses traits ; même dans la glace. Si deux personnes s'y reflétaient en même temps, je regardais déjà toujours plus longtemps ma mère. À condition qu'elle ait tout ce que je connais d'elle, ses expressions, sa mobilité. Si elle restait le visage figé sans parler, cela me mettait mal à l'aise et je me détournais au contraire, vite. Ces traits immobiles, ce n'était pas maman.

Lorsque j'eus à peine six semaines, ses yeux commencèrent à me fasciner. Dès lors, dès qu'elle me prenait, je me branchais sur son regard, je concentrais là toute mon attention. Et je pus regarder plus longtemps, parfois pendant une demi-heure. Je la fixais et son visage s'éclairait ! Elle me parlait, me souriait et je crois bien que j'arrivais à lui sourire en retour.

Ma cousine Anaïs trouvait cela bien facile, elle qui avait déjà trois mois.

« Tu sais, Jérôme, comme toi, les yeux de ma mère m'ont fascinée pendant des semaines. Je m'amusais à la regarder surtout lorsque je me sentais bien, repue, au chaud et au calme. Avec une lumière douce. Mais à trois mois je vois très bien, même au loin. Maman, je la connais, je sais qu'elle est là, je suis contente et j'explore tout autour : le mobile suspendu à mon lit, le lustre, les tableaux accrochés au mur. J'ai conquis ma mère et pars maintenant à l'aventure dans ma chambre. »

Dr Edwige Antier

Des études récentes montrent que la vision, présente dès la naissance, évolue rapidement : avant six semaines, le nouveau-né suit surtout du regard les contours : la frontière entre les cheveux et le visage, entre le col et le visage (cf. Biblio 2).

Après six semaines, il regarde essentiellement les yeux.

Or, être regardée dans les yeux semble jouer un rôle important pour la mère dans la formation du lien avec l'enfant. Le fait qu'il focalise son attention sur elle lorsqu'elle lui parle encourage la mère à continuer à lui parler. Un bébé « regardeur » est très gratifiant et les échanges vont s'amplifier. D'ailleurs, la mère cherche cet échange par les yeux et s'inquiète les premiers jours, se demandant : « Est-il normal qu'il dorme si longtemps ? »

Le nouveau-né reconnaît le visage de sa mère dès l'âge d'un mois. À condition qu'il bouge, qu'il soit expressif, et non d'une immobilité étrange. Ce ne sont pas les traits à proprement parler qu'il reconnaît, ce sont les mimiques, l'expression de sa mère. Aussi ne semblera-t-il pas l'identifier sur une photo avant six mois.

Et son propre visage ? Chacun a observé qu'un enfant de cinq mois se découvre avec joie dans le miroir. Mais, là encore, il perçoit un tout, mobile, expressif. Quand reconnaîtra-t-il exactement ses propres traits sur une photo ? Cela est à l'étude.

Que regardera-t-il face à la télévision ? Tout ce que l'on a dit explique le comportement d'un nourrisson devant la télévision ; intéressé dès trois mois, quand son excellente accommodation lui permet de percevoir au loin, il voit, c'est sûr, des images de tonalités différentes, mobiles, expressives. Les reconnaît-il comme représentant des personnages ?

Des études passionnantes sont en cours. Il faut distinguer ce qui peut l'intéresser de la lumière, du mouvement, du bruit, ou du sujet reconnu…

Et les couleurs ?

Jérôme

Alors là, je me souviens qu'à quatre mois en tout cas, je les distinguais bien !

Dr Edwige Antier

On peut, en effet, affirmer qu'un nourrisson de quatre mois « voit les couleurs » comme l'adulte. Ce qui ne veut pas dire qu'avant quatre mois, il ne les distingue pas. Simplement, on n'a pas pu l'étudier, les méthodes utilisées exigeant une longue durée d'attention, qu'on ne peut pas obtenir de bébés plus jeunes.

Jérôme

Bon, vous nous couchez toujours à plat ventre parce que vous ignorez tout ce que nous avons besoin de voir. Mais croyez-vous qu'en Afrique, les parents respectent mieux les capacités visuelles de leurs bébés ?

Écoutez Kilewe, sept mois, le petit Togolais : « Eh bien, moi, je ne vis pas comme vous, aplati comme un crapaud sur un lit dur. J'ai été porté confortablement sur le dos de ma mère toute la journée depuis ma naissance. Jusqu'à trois mois, comme je n'arrivais pas à tourner ma tête tout seul, je n'ai vu que le dos noir de ma mère. Vers trois mois, j'ai pu tourner ma tête et voir du côté droit avec mon œil droit, du côté gauche avec mon œil gauche. Je suppose que c'est pareil pour vous, à plat ventre dans votre berceau. On ne peut jamais voir avec les deux yeux à la fois… Ce n'est que depuis quelques jours que j'arrive, en tirant sur le pagne, à me décoller du dos. Mais, même ayant fait cet exercice, j'ai vraiment un écran devant moi… »

Dr Edwige Antier

Cette vue bouchée par un écran, dos de la mère, ou fond de berceau, évoluera-t-elle normalement ? Certes, l'acuité visuelle du petit Togolais, ainsi porté à dos pendant des mois, est comparable à celle du jeune Français. Mais la vision dans l'espace, stéréoscopique, est nettement inférieure chez le Togolais. Cette carence visuelle, qui porte aussi sur les couleurs, le gêne dans l'art graphique : à quatre, cinq ans, il ne reconnaît pas, dessiné sur un tableau, un chien ou un canard, un arbre ou une maison. Il construira peu d'harmonies géométriques, le seul terme de géométrie existant dans la langue étant le cercle. En revanche, si l'enfant n'a pas été porté sur le dos, mais sur la hanche ! son champ de vision est libre, et on ne relèvera aucun trouble de représentation spatiale. C'est le cas des Bamilékés du Cameroun qui sont souvent de remarquables architectes. Ces observations de Claude Rakowska-Jaillard sont très récentes et feront encore l'objet d'études.

Je m'inquiétais déjà, il y a vingt ans, en Europe, de cette mode qui préconise de coucher les nouveau-nés à plat ventre. C'est pour qu'ils ne s'étouffent pas lors de rejets, disait-on. Pourtant ces vomissements ne sont pas plus redoutables lorsque le bébé est couché sur le côté. On invoquait le cas d'une amie qui perdit son bébé soudainement à six mois... Personne ne peut mettre les vomissements en cause dans ces accidents subits. Ils surviennent le plus souvent avec ou sans vomissement, lequel est réactionnel. La position à plat ventre augmente au contraire, c'est aujourd'hui prouvé, le nombre de ces drames heureusement rares. Les bébés doivent être installés sur le dos pour bien respirer ; fallait-il des statistiques pour confirmer ce bon sens ?

De toute façon, les bébés ne passaient pas toute la journée à plat ventre, me direz-vous encore. Leur champ visuel ne s'en trouvait donc pas vraiment rétréci... Mais, l'enfant installé moulait son corps encore plastique dans cette position et ne pouvait plus s'endormir autrement ni le jour ni plus tard, lorsqu'on ne craignait plus les fameux rejets. Nous le voyions souvent à un an avec des pieds « à la Charlot », le visage un peu aplati. Ayant passé des mois la face contre le drap, pouvant tout juste orienter un seul œil dans un champ de vision limité à droite ou à gauche (essayez vous-même), n'aura-t-il pas aussi une vision dans l'espace déformée, une perception des couleurs moins nuancée ?

Puisqu'on peut certifier aujourd'hui qu'un nouveau-né voit dès les premières minutes de sa vie ; qu'il voit particulièrement à vingt centimètres, c'est-à-dire le visage de sa mère devant lui ; qu'il verra très vite mieux que nous, de plus en plus loin et de plus en plus près (à trois mois), laissez-lui un champ de vision libre, éclairé et animé.

Jérôme

Cessez de dire à ma mère : « Que tu es bête, il ne voit pas encore ! » Ensuite, elle ne me regarde plus de la même façon, ni aussi souvent, elle préfère prendre un livre…

Cessez de lui dire aussi : « Pourquoi mets-tu déjà ce jouet dans son lit ? Il prend de la place, il apporte des microbes, et tu penses bien qu'il ne le voit pas ! »

Dr Edwige Antier

Ne traitez pas votre enfant comme ces bébés d'une sinistre institution de Boston pour enfants abandonnés. Tout seuls au fond de lits tout blancs dans des chambres toutes grises, ils n'étaient jamais pris pour être nourris et changés. Leurs compétences visuelles en furent bien retardées ! Que dès les premiers jours au contraire on les berce, qu'on les change plus souvent, et ils regardent davantage. Qu'on ajoute des mobiles, des jouets dans leurs berceaux (pas trop), des draps de couleur, qu'on dégage l'entourage du berceau pour qu'ils puissent voir l'extérieur, et les voilà très précoces pour regarder, pour attraper les jouets dès quatre mois.

Jérôme

Alors, vous surtout, nos mamans, sachez que nous voyons, que nous vous voyons. Prenez-nous souvent dans vos bras, penchez-vous sur nos berceaux ; transmettez-nous par votre regard la tendresse qui vous envahit, elle nous réchauffe. Nous ne vous regardons que quelques minutes les premiers jours, c'est vrai, très vite nous nous endormons. Mais nous avons bien reçu votre message d'amour. Et bientôt, nous ouvrirons les yeux pour le retrouver.

Je perçois mon corps : prière de bercer

Jérôme

Le hamac se balançait sous le feuillage et mon ami Candido souriait en dormant…

Cette image flottait toujours dans ma tête, tandis que maman parlait à mon pédiatre ; car, j'avais grandi, croyez-vous, un an déjà ! « Docteur, Jérôme se balance toutes les nuits dans son lit ! Il s'assoit et oscille à toute force en avant, en arrière, si fort qu'il fait petit à petit glisser son lit jusqu'au mur et là, il vient, il va, il frappe son front contre la cloison, cela fait un bruit rythmé, lancinant, qui réveille toute la maison ! Et il pourrait se faire mal ! N'auriez-vous pas un calmant ? »

Ma pauvre mère passait ainsi des nuits blanches, et mon père aussi s'énervait en criant « Mais il est fou, ton gamin ! » Alors, je m'arrêtais. Et puis, c'était plus fort que moi, je recommençais…

Que voulez-vous, depuis que nous avons passé un dimanche chez Candido mon ami brésilien, j'étais jaloux. Savez-vous comment sa mère le console quand il pleure ? Elle le pose dans un hamac et le balance, le balance, le balance… Il s'endort, béat. Maman, qui la regardait faire en ce dimanche, était étonnée : « Vous croyez que c'est bon pour son dos ? » Évidemment, d'après ce que l'on lui dit, il faut être droit comme un I, raide comme un piquet, froid comme une stalagmite… c'est ça, la civilisation ! Raide et dure.

Cela a commencé dans le ventre de ma mère, par les pavés et les stops : *tap tap tap* la voiture. C'est un enfer terrible pour nous les bébés, et « votre poche des eaux », vous savez, n'amortit pas tout ! Mon ami Benoît est né à huit mois, à la fin d'un Biarritz-Paris automobile. En ce qui me concerne, le ventre de ma mère ne subit pas d'aussi longs trajets, non, simplement un peu de trépidations chaque jour. Ma mère s'asseyait au bureau pendant des heures, sur une chaise de dactylo ! Tant et si bien que son col, paraît-il, promettait de me laisser sortir un peu plus tôt. Elle fut alors consignée au lit : immobilité totale. Calme plat. C'est plus reposant mais c'est triste, rien ne bouge, on s'ennuie. Enfin, le grand jour arriva. Alors là, je peux vous le dire, c'est une aventure que d'avancer à l'horizontale, ce serait tellement plus simple de se laisser tomber doucement. Apparemment on n'était pas disposé à asseoir ma mère pour que je n'aie plus qu'à glisser tête en bas. Il fallut donc que la sage-femme vienne en renfort pousser mes fesses. Quand je racontai à mon ami brésilien comment mes cellules se divisèrent et se multiplièrent dans les trépidations, puis la raideur d'une chaise de bureau, puis l'immobilité totale pour être enfin poussé à force de biceps, Candido fut tout étonné.

— Tu sais, chez nous, c'est un peu différent. Ma mère, enceinte, marchait ou dansait, et j'aimais. Mais ce que je préférais, c'était la plage d'Iriri. Maman s'asseyait au bord de l'eau et les vaguelettes jouaient avec moi à travers son ventre. Alors je bougeais pour leur répondre, et elle, toute contente, me parlait avec ses mains. Aussi à vrai dire quand je suis né, je la connaissais déjà bien. Nous étions complices. Elle m'a mis au monde assise. Dès que le cordon a été coupé, elle m'a pris tout nu contre elle et j'ai aussitôt trouvé contre sa poitrine la chaleur et les battements de son cœur que je venais de quitter. Puis elle s'est allongée et m'a gardé ainsi contre elle, puis j'ai cherché son sein.

— Mais tu étais sale ?

— Je ne sais pas, on m'a enveloppé dans un lange très doux.

— Moi, on m'a nettoyé, essuyé, habillé : bande ombilicale, sous-chemise, chemise, couche de cellulose autocollante, chaussons, grenouillère d'éponge ; attrapé par les bras, par les jambes, tourné, retourné, posé dans un berceau. Puis, on a terminé les soins de ma mère. On l'a restaurée. « Et mon enfant ? » disait-elle. « On va vous le donner, on va vous le donner ! » En effet, on m'a enfin posé auprès d'elle. Beaucoup de tissu nous séparait, je ne pouvais plus tâter son corps avec ma peau.

Dr Edwige Antier

Tâter le corps avec sa peau, chercher le sein avec ses lèvres, c'est le dialogue de la peau et du corps qu'échangent spontanément toute mère avec son enfant, tout enfant avec sa mère, pendant la grossesse, à la naissance, après la naissance. Mais le puritanisme, l'hygiène et la technique ont eu raison de cette spontanéité. C'est ainsi qu'aujourd'hui on a pu dire que l'enfant occidental est en « déprivation sensorielle » : grossesse au bureau, en voiture, au lit, accouchement couché sur un plan dur et froid, lit fixe, nursery hors des bras de la mère, landau bien lointain, bien haut, bien raide. Alors que le tact, le « système vestibulaire » qui nous donnent la sensibilité au balancement sont fonctionnels dès la naissance, même prématurée. La femme enceinte qui marche, se balance, danse, stimule de façon douce et naturelle le système vestibulaire de son enfant. Ainsi, il apprend l'espace, les différentes positions et se berce au rythme maternel. Bien sûr, la position couchée est souvent bénéfique en cas de menace d'avortement, mais elle n'est pas incompatible avec le balancement tranquille sur un rocking-chair.

Bercer, caresser le bébé encore dans son ventre n'est pas ridicule. Les mains sont si bien ressenties par l'enfant qu'une nouvelle technique est née. L'haptonomie consiste, par des caresses du ventre de la femme enceinte, à jouer avec le fœtus, qui répond à ses parents. Cette « science du toucher et du sentir, dans sa dimension intime et affective », fondée par Frans Veldman, permet aux géniteurs d'entrer en contact avec leur enfant, qui, dans le ventre, répond aux plus légères pressions ou stimulations tactiles venant du monde extérieur.

Ainsi s'éveille une « conscience affective » de l'enfant qui renforce dès avant la naissance l'attachement de ses parents. Sécurisé par eux, il se sent exister et devient de la sorte humain avant de naître. Aussitôt né, il retrouvera ces mêmes caresses qu'il connaît déjà. Or, que se passe-t-il le plus souvent aujourd'hui ?

Jérôme

Dès ma naissance, on me mit dans le lit en plastique, bien net, bien propre dans la chambre de ma mère. Mamie Chartier avait donc décrété qu'il ne fallait pas trop me prendre et la puéricultrice avait opiné du bonnet. Pour ne pas fatiguer ma mère, elle proposa de me changer elle-même. Maman n'aurait qu'à sonner quand ce serait l'heure. Mamie Chartier approuva : de toute façon, la puéricultrice avait tellement d'expérience ; elle saurait bien mieux faire ma toilette. Maman ne protesta pas, elle ne se sentait, à ce moment-là, ni la compétence ni l'énergie de discuter tant d'autorité. Chaque fois que je pleurais de faim, l'infirmière venait d'abord me chercher et m'emmenait vagissant pour me nettoyer les fesses. Le lait de toilette qui dégoulinait du coton sur ma peau m'a toujours paru glacé. Puis elle me portait à ma mère. Je tétais les poings serrés, les yeux noyés dans ceux de maman. La première fois que je fis un rejet, la docte infirmière expliqua que je n'avais pas bien fait mon rot, parce que maman s'y prenait mal. « C'est normal pour une jeune mère... » Elle décida de m'aider, elle, à mieux digérer. Je ne sentis alors plus que l'odeur du caoutchouc, et le Roger-et-Gallet qui n'était pas du tout le parfum de maman.

Le matin, c'était l'heure de la grande toilette. Au troisième jour, quand elle put bien se lever, maman fut conviée à assister : je fus énergiquement déshabillé, et quand ma mère s'inquiéta de mes pleurs, on lui expliqua qu'il était normal que je me fasse les poumons. De toute façon, je ne devais pas rester sale comme ça, « gros vilain » que j'étais, plein de méconium, mais bien vite essuyé, puis tartiné de lait froid, réessuyé. Il faut de l'énergie, tout cela ça colle (et moi, j'ai faim). Me voilà badigeonné de pommade, colle blanche après colle noire. Les fesses toujours engluées. Le coton passa sur le reste du corps, pile et face. Puis ce fut l'habillage. Ma tête se bloqua dans l'encolure du tricot qui m'étouffait, ne parlons pas de mes petits bras crispés dans les manches étroites... Vive les kimonos, mais ça n'existe pas pour les nouveau-nés. La compresse posée sur mon nombril, la jeune fille en blouse blanche saisissait mes petits pieds, soulevait mes fesses, et tournait autour de moi avec la bande, un tour, deux, trois, quatre... Pourriez-vous lâcher mes pieds s'il vous plaît ? Il restait la couche qui n'est pas toujours « câline », la brassière croisée devant, et hop volte-face, nouée derrière. « Quelle dextérité ! s'extasiait, intimidée, maman, je ne saurai jamais l'habiller ainsi, sans un faux pli. On sent que vous êtes très habituée... »

L'infirmière experte se rengorgeait et hop côté face. Sérum dans le nez, j'étouffais, dans les yeux, « essuyez l'un avec un coton, l'autre avec un autre ». Coton dans les oreilles, « jamais de Coton-tige, madame ». Coup de brosse sur ma bosse, aïe. C'est fini. « Qu'il est beau, qu'il sent bon. » Je n'appréciais pas, je hurlais. J'avais une de ces faims… Si on passait aux choses sérieuses ?

Dr Edwige Antier

La toilette du bébé est un moment important. Mais de grâce, chères puéricultrices, pas trop de zèle ! Les mères ont souvent l'impression qu'il faudrait sortir de Polytechnique pour « savoir » faire la toilette de leur enfant. Combien d'entre elles m'ont dit, dès mon arrivée près du bébé : « Je laisse faire mademoiselle, elle le change tellement mieux que moi ! » et lorsque je demande comment le petit prend le biberon, on se tourne vers mademoiselle qui « sait bien lui faire faire son rot »… Et finalement, la mère ne prend son enfant que propre, gavé, habillé. Les contacts aseptisés avec lui ne la familiarisent pas avec ses pleurs, ses odeurs, ses besoins. Qu'elle veuille d'ailleurs tenter de le changer, et un coup d'œil professionnel la fera trembler et renoncer, convaincue de sa propre maladresse. « Comme je suis inexperte », s'excuse-t-elle. Mais je ne trouve pas du tout maladroite une mère qui, certes lentement, mais surtout tendrement, enfile une petite chemise à son bébé détendu, qu'elle a préalablement rassasié par un bon lait tiède. Et s'il rejette, lui dira-t-on ? Eh bien, il rejettera ! Un peu. Très peu. Parce que manipulé gentiment par sa maman qui a tout son temps, qui n'a pas d'autres bébés à changer, qui va doucement, justement parce qu'elle se croit maladroite. Bébé calme, bébé repu, bébé lavé dans l'eau tiède, avec du savon naturel, essuyé doucement. Et si la couche est mal pliée, la brassière mal croisée ? Quelle importance, puisque la tendresse est là, la manière toujours la même, bien douce, bien chaude. Je t'essuie, je t'habille, je te tourne, je te parle, je te gazouille, je te souris, je te caresse, autant de signaux chargés de sens et d'affects qui, donnés par la mère, prolongent naturellement la vie commencée en elle. Alors merci aux puéricultrices qui font les premières toilettes tout près de maman, avec elle, et la réconfortent sur ses talents : « Mais non, vous n'êtes pas malhabile ! Vous avez mal enroulé la bande ombilicale ? Quelle importance ? Vous avez oublié de plier le haut de la couche ? Vous avez croisé la chemise à l'envers, ce n'est pas un drame ! Bébé est détendu, sec, au chaud, dans un linge ample et doux, voilà l'essentiel. » Et si, ensuite, le sommeil se fait difficile à trouver, donnez-lui encore un peu de lait pour le consoler. Le dessert, en quelque sorte. Et nous voilà propre, tiède autour, tiède dedans, parti pour un bon sommeil dans le bonheur.

Laissons faire ce tendre méli-mélo maman-marmot : tétée-change-câlin-toilette-pirouette-habillage-massage. Ne dévaluons pas ces rapports par mille détails contraignants et inutiles.

Et ne rejetons pas le père hors du circuit…

Jérôme

Je ne vous ai pas encore dit comment s'est passée la première visite de mon père ? Imaginez : Maman et mamie Chartier devisaient allégrement pour savoir si Renaud pleurait plus ou moins souvent que moi les premiers jours, si lui aussi avait ces vilains petits boutons rouges sur les joues et s'il était normal que mon menton soit si petit…

Arriva papa, avec le grand pochon en plastique qui l'accompagnait chaque jour ; chemises de coton, brassières de laine, couches, journaux… « C'est tout ce qu'il te faut, ma chérie ? » Puis j'entendis ses pas se rapprocher de la coque en plastique où j'étais encore côté pile, à plat ventre. Je soulevai un peu mes fesses pour qu'il sache que je ne dormais pas. C'était gagné, il me prit. Avec ses bonnes grosses paluches, sa voix de stentor que je connaissais déjà bien, et son sourire éclatant. J'eus l'impression d'être emporté dans un luna-park enchanté. C'était compter sans mamie Chartier qui sait tout puisqu'elle a l'expérience de l'âge et qu'elle a eu quatre enfants. « Fais attention à sa tête ! Il faut la soutenir ! Regarde comme tu le prends… Que tu es maladroit. Ah les hommes… Tu le penches trop, tu vas le faire vomir ! » Ses cris stridents me firent hurler. « Tu vois, le pauvre petit, il pleure maintenant. Donne-le-moi, va ! »

Je hurlais de plus belle. Papa, tout décontenancé, s'excusa, me colla vite fait dans les bras de mamie, effleura la joue de maman, et se glissa dans la porte avec son pochon vide. Il respira dans le couloir et courut vers ses problèmes d'homme, ceux pour lesquels sa compétence n'était pas contestée. « Décidément, les naissances, ça vous vole votre femme, et vous ne servez plus à rien, vous êtes exclu du cercle. Je me rattraperai quand il saura taper dans un ballon. Mais en attendant, laissons aux femmes les mois de couches et de lait. Allons au boulot, puis au cinéma, et revenons le plus tard possible. Ça sent trop le talc, ici ! » Voilà ce qu'il pensait, mon papa.

Dr Edwige Antier

Exceptionnelle aujourd'hui cette ambiance, me direz-vous ? Le père maintenant est admis à part entière dans le cercle de naissance. Voyez : il assiste à l'accouchement.

Oui, il y assiste. Mais est-ce justement à ce moment-là qu'il est le plus nécessaire ? Certes, il tient la main de sa femme, il est présent, solidaire. Peut-être bien mal à l'aise, aussi, devant ces douleurs auxquelles il ne peut rien, ce périnée qui s'ouvre et saigne pour donner le jour à son enfant à lui. Impuissant devant la souffrance et le sang, est-il vraiment heureux ? Combien d'étudiants qui ont aidé dès l'âge de vingt ans en salle d'opération sans émotion parce que le malade endormi ne souffre pas, ont par contre ressenti un profond malaise en assistant au premier accouchement parce que la femme souffre, et que ce spectacle est difficile à supporter, lorsque vous êtes impuissant à soulager cette douleur. L'homme, lui, ne passera jamais par là, l'homme, le cœur gros et les mains vides devant ce que souffre le corps de sa femme pour lui donner son enfant à lui, est-il toujours bien dans sa peau, là dans cette salle ? Est-il vraiment sain de le faire participer à des événements sur lesquels il n'a aucune prise ? Sans doute cela dépend-il de sa solidité psychologique, de celle du couple, de leur préparation à cet instant. Mais les pères qui ne désirent pas assister ne doivent pas être considérés comme rétrogrades : peut-être est-ce leur forme de respect et de sensibilité à eux.

Si la présence du père dans la salle d'accouchement ne semble pas toujours radieuse et bénéfique, par contre quel bonheur ensuite dans la chambre ! laissez-le, de grâce, prendre et manipuler son enfant. Les réactions dévalorisantes du genre « que tu es gauche et maladroit, on voit bien que tu es un homme ! » sont très fréquentes. Ces paroles, on les entend dans presque toutes les chambres, venant des autres femmes de la lignée, des grands-mères, des tantes, de celles « qui s'y connaissent ». Et le père tout contrit attend de revenir seul pour prendre son bébé et se convaincre qu'il n'est pas plus maladroit que n'importe laquelle de ces dames. Laissez-le au plaisir de prendre son enfant. Très tôt. Je n'ai jamais vu un nouveau-né abîmé par son père, parce qu'il n'a pas bien « tenu sa tête ! » C'est son enfant, il a le même instinct de douceur, il saura par affection prendre les mêmes précautions que sa femme, à sa manière à lui. Laissez-le faire la toilette, déshabiller, rhabiller, bercer. En effet, le couper d'emblée de la première période de son enfant, c'est déjà créer des rapports difficiles, étranges entre eux deux.

Des études récentes ont montré que les rapports d'un père et de son enfant dépendaient de ces premiers contacts : on a comparé les rapports entre pères et enfants de trois ans dans deux groupes. Dans le premier, le père s'était occupé dès les premiers jours du bébé, dans l'autre, c'était la mère qui avait traditionnellement assuré la quasi-totalité des soins pendant les premiers mois. Les enfants que le père avait « nursés » très précocement lui étaient beaucoup plus attachés (cf. Biblio 11).

Père, mère, laissez-vous donc aller à votre envie d'embrasser, de changer, de bercer votre enfant. Même non encore né, dans le ventre, puis quand il est né. Il y a toujours urgence de gros câlins. Les contacts précoces, peau contre peau, yeux dans les yeux, le bercement et le portage, la toilette par la mère ou le père, sont autant de messages de l'enfant aux parents, des parents à l'enfant, et vous, mamies, réapprenez à bercer. Apprenez surtout à faire confiance aux parents de ce bébé, à la mère comme au père. D'emblée, dès la naissance, c'est aussi son bébé. Et rangez au placard ce mot de « capricieux ». « Cesse de le prendre, il va devenir capricieux », est un frein à la spontanéité chaleureuse des parents.

Jérôme

Bercé dans son hamac, balancé dans son berceau de bois, puis blotti dans un sac sur les seins de sa mère marchant de son pas dansant, mon ami brésilien fut ensuite emmené en promenade, à bicyclette. Ils partaient sur le chemin entre les champs, la mère devant qui chantait, lui derrière, les yeux dans le paysage, les oreilles tendues vers le refrain mêlé au vent, le corps dodelinant au rythme des rayons qui tournaient sur la terre battue.

Et nous, nous sommes rentrés dans la voiture. Ce dimanche soir, je retrouverai mon lit droit, qui ne s'est jamais balancé. Alors, j'ai commencé ma danse et dès lors mon corps assis fera le pendule, en avant, en arrière, jusqu'à ce que le front butant sur le mur rythme la cadence, comme un tam-tam brésilien.

— Docteur, Jérôme se balance toutes les nuits dans son lit…

— Vous lui donnerez six gouttes de Théralène chaque soir au coucher.

Que voulez-vous qu'il fasse, le docteur ?

Ne déformez pas mon goût : des petits pots aux fast-food

Jérôme

Ma cousine Anaïs tète avec délice le sein de tante Amélie tout en agitant un des « bidules » que nous, les bébés, aimons tant. Puis elle lâche prise, glisse sur l'herbe et va à quatre pattes jusqu'à la table ronde, saisit une rondelle de tomate et la mange.

Ma mère chauffe mon petit pot « spécial bébé » et sermonne gentiment sa sœur :

— Tu sais que tu es ridicule de donner encore le sein à cette enfant de neuf mois et de lui laisser prendre ensuite des morceaux entiers de tomate, avec lesquels elle pourrait s'étouffer !

Tante Amélie sourit, répond qu'Anaïs et elle sont contentes ainsi.

C'est un de ces dimanches ensoleillés comme il y en a en juin à Paris. Ou plutôt à Boulogne, car c'est du côté boulonnais de la porte Saint-Cloud que ses parents ont trouvé ce charmant rez-de-chaussée-jardin dont ils sont si fiers. Il est vrai qu'en ces premiers jours d'été, nous nous croyons à la campagne, barbecue sur la pelouse et bronzage pour les dames. Aussi la famille s'agranditelle, ces dimanches, des oncles et des tantes, cousins et cousines. Et c'est toujours l'heure des inévitables comparaisons, « le mien marchait à cet âge », « la mienne avait déjà trois dents », et l'autre qui ne suçait plus son pouce, etc.

Il est évident que toutes ces considérations ne passionnent pas mon cousin Patrick, qui a un jean tout neuf, « 501 », paraît-il, et dix-sept ans sonnés. Il lance à la volée :

— Je vais sur les Champs…

— Sur les Champs ? Mais tu n'as même pas déjeuné…

— Je prendrai un Mac Donald.

Tollé général.

— Un Mac Donald ! Quand je pense que ton père attise le charbon de bois pour griller des côtes de bœuf de premier choix tandis que ta tante épluche des légumes frais, et que tu vas manger de ces trucs hachés en masse, homogénéisés, standardisés, ketchup en prime et emballage à la chaîne, parfaitement insipides ! Comment mon fils, un bon Français de famille toulousaine, peut-il aimer ces hamburgers américains ?

— Peut-être, repartit mon insolent cousin, m'avez-vous bien habitué avec ces petits pots « hachés, homogénéisés, standardisés » que Jérôme ingurgite en ce moment…

— Comment oses-tu dire ça ! (Ma mère est outrée.) Un petit pot « veau-jardinière de légumes spécial pour bébé ». Au moins, je sais ce que je lui donne, regarde : 55 calories, 3,7 grammes de protides, 1,8 gramme de lipides, et le sel, et les éléments minéraux, tout est mesuré, certifié !

— Dans un hamburger aussi, tu sais exactement ce que tu manges : 20 grammes de protides, 10 grammes de lipides, 166 calories, etc. Contrôlé, là aussi et il y a peu d'écart d'un Mac Donald à l'autre ; beaucoup moins qu'entre deux cassoulets.

— Tout de même, tu ne vas pas comparer la nourriture pour adulte et pour bébé. Les pots sont stériles, c'est important pour un nourrisson.

— Es-tu sûre que Jérôme ait besoin de manger « [illegible] rile » ? Les Mac Donald aussi sont hygiéniques. Si une épidémie d'intoxications alimentaires se déclarait dans un de ces fast-foods, cela se saurait, tu sais.

— Mais enfin, le goût, Patrick, le goût ! C'est insipide, c'est monotone…

Pendant ce temps, j'ouvrais régulièrement la bouche et avalais sans coup férir cuillère après cuillère.

— Tu vois qu'il aime ça…

Mais alors qu'il restait un peu de mixture au fond du pot et que je calais :

— Finis le pot maintenant, finis le pot ! demanda Patrick à ma mère, en riant… Comment se fait-il que je ne t'aie jamais vue finir ces pots quand Jérôme n'en veut plus ? Les pots de compote, oui, tu les finis, mais les pots de légumes-viande, jamais. Alors tu vois, vous nous faites manger des trucs homogénéisés, standardisés, *artificial flavour* toute notre première enfance et après, vous êtes étonnés que nous n'aimions que le coca, les chips et les hamburgers !

Ma mère se défendit :

— De toute façon, Jérôme préfère…

— Bien sûr, tu as commencé par ça…

— Il faut dire qu'il aurait été ridicule à quatre mois de lui faire un potage de légumes pour n'en mettre qu'une cuillerée dans son biberon.

— Dans son biberon… de lait en poudre, bien sûr. Tout aussi insipide de la première à la dernière goutte ; de la naissance au quatrième mois et aux mois suivants…

— Tu n'y comprends rien. Pour un bébé, ce qui est important, c'est de lui apporter des protides, du calcium, des vitamines… un bébé n'a pas le goût formé…

— Et si, justement, tu lui formais le goût, en ce moment ? Si tu habituais Jérôme à aimer les chips, puis les Mac Donald ?

…er

…/ous alimenteriez-vous d'aliments en … long de l'année ? Non ? Alors, comment … que votre enfant soit nourri exclusivement … udre sorti d'une boîte ? Certes, le papier d'emb… vous montre un bébé rose, une maman radieuse et l'étiquette vous rassure : ce lait est « maternisé ». C'est-à-dire qu'on a « désaturé » ses graisses pour les rendre plus digestes, plus utilisables par le cerveau en pleine croissance, on a transformé en quelque sorte le beurre du lait de vache en margarine en poudre. On a « maternisé », c'est-à-dire encore modifié les rapports entre les différentes sortes de protéines, de sucres, ajouté du fer, des vitamines. Ils ont fait tout ce qu'ils ont pu, nos chercheurs, nos industriels. Mais, outre que les protéines restent spécifiques de la vache, que les cellules vivantes n'y sont pas, ni leurs petits soldats les anticorps, quel goût a ce lait ?

« Pensez-vous comme cela a de l'importance ! Un nouveau-né a besoin de boire du lait, encore du lait, et c'est tout. Il accepte très bien les laits en poudre. » Bien sûr, ces laits ne sont pas « mauvais ». Mais ils sont de goût constant alors que le nouveau-né détecte les saveurs. C'est une autre de ses compétences. Il grimace à l'amer, à l'acide, il aime le sucré ou ce qui est légèrement salé. Il a d'ailleurs plus de papilles gustatives que nous, les adultes. Or le lait d'une mère, contrairement au biberon, est un repas varié. Toutes les saveurs y passent, on reconnaît très bien, au goût, le lait d'une Indienne nourrie au curry… Certains accoucheurs ont même remarqué que le liquide amniotique déjà sentait le curry ! Le bébé se prépare donc très tôt aux coutumes alimentaires de sa famille. Cette mère méridionale parfume sa cuisine aux herbes de Provence, cette mère algérienne au cumin, telle autre à l'ail, et le lait en transmettra les saveurs. Les Anglaises le savent d'ailleurs et pendant leur allaitement parfument leurs propres mets au fenouil, à l'anis, au cumin car alors l'enfant tète plus fort pour savourer. Ces goûts varieront avec les repas de la mère, avec le rythme de la journée, pendant même le temps de la tétée. L'enfant sera prêt à s'intégrer à la table familiale. Et vous serez alors moins pressée de lui donner dès cinq mois, cette viande, ce fromage, ce poisson, ces œufs, toutes ces protéines qui lui sont étrangères. Il est d'autant moins urgent de diversifier que, par le lait maternel, tous les goûts lui sont déjà proposés.

Il y a risque de monotonie, à l'opposé, avec ces biberons de lait en poudre, toujours identiques. Comment ne pas pallier l'état de privation gustative dans lequel est plongé l'enfant ? Certains pour stimuler ses papilles et lui faire accepter plus tard la nourriture des grands, ont proposé de « varier » assez vite. Mais varier, cela veut souvent dire, dès trois ou quatre mois, remplacer le biberon de lait, donc les protéines et le calcium nécessaires à sa croissance par le fameux potage, qui n'en contient pas. À moins d'ajouter un peu de viande. Que de substances étrangères, si petit, alors que le lait du sein est passé par le filtre maternel qui a revu et corrigé, humanisé, l'alimentation… on a démontré aujourd'hui combien les allergènes étaient agressifs lorsque la diversification était trop précoce. Quatre mois pour les fruits et les légumes, six mois pour la viande et l'œuf sont les délais à respecter.

Alors d'ailleurs aujourd'hui, comme pour Jérôme, on passera du biberon au petit pot en conserve, certes stérile, bien quantifié quant à la dose de protéines, etc., mais tellement « homogénéisé », « conservé », insipide… Heureusement, les petits pots ont fait de gros progrès, même au plan gustatif. Et, c'est vrai, les produits utilisés pour les préparer sont sanitairement plus sûrs que ceux du marché. L'idéal est d'habituer bébé aux deux saveurs : petits pots et cuisine-maison.

Alors que conseiller si l'enfant est au biberon ? De respecter ses besoins de lait pendant les cinq premiers mois, tout en en variant souvent le goût, en remplaçant l'eau par tel ou tel bouillon de légumes. La poudre de lait sera ajoutée au bouillon. Bientôt peut-être, les fabricants, se souciant enfin des besoins gustatifs de l'enfant, nous feront du lait aux pommes ? Mais cela ne sera jamais aussi souple, aussi merveilleusement nuancé que le lait de la mère.

Jérôme

« Tu sais, Jérôme, me fit comprendre ce jour-là Anaïs, parce que j'ai neuf mois, ils disent que je suis "trop grande". Mais ma mère se tait et continue de me donner le sein. Dès que je suis née, je l'ai savourée, je l'ai reconnue. Je l'ai reconnue au goût de son lait d'abord, qu'il m'a semblé avoir déjà bu… Deux, trois jours ont passé, et je l'ai reconnue dès qu'elle me prenait, à son odeur. Allongées peau contre peau, nez rose dans la blancheur de son sein, goût de son lait dans ma bouche, vous ne me l'auriez pas changée contre une autre, ni contre du caoutchouc. ("Il faut que tu l'habitues à la tétine !" disaient-ils déjà. Faut-il donc "s'habituer" sitôt né à perdre sa mère ?) Son lait, ma bouche, son corps, mon corps, complicité douce, liquide, tiède et parfumée… mais peut-être est-ce cette complicité qui les dérange ?

« Ils disent aujourd'hui que je suis "trop grande". Ils, tous les autres, sauf mon père et ma mère. Le matin, à peine éveillée, me voilà couchée dans le grand lit doux entre leurs deux corps chauds, lait tiède qui me coule au-dedans, caresses douces qui me couvrent au-dehors, senteur de leur peau.

« Je sais que je me rechargerai, en lait, en parfums, en caresses, en protection, si j'ai peur ou si j'ai sommeil. Je suis emplie de leur amour pour moi, de leur amour l'un pour l'autre, de tendre sécurité. Et dès lors je me lève joyeuse et goûte le monde, ce merveilleux monde des grands. »

Dr Edwige Antier

Mère goûtée, savourée, reconnue mais aussi mère sentie. En effet, non seulement le bébé goûte mais il sent. Très vite, dès la fin de la première semaine, il différencie simplement, par l'odeur, sa mère des autres femmes. Comment l'affirmer ? Des études ont été faites avec des tampons d'ouate appliqués contre la mère et contre l'étrangère (cf. Biblio 2). Le nouveau-né de trois jours, s'il a déjà eu des contacts prolongés avec sa mère cherchera son odeur. Et réciproquement, dès cette date, la mère reconnaîtra sans la voir, sans la toucher, la brassière de son bébé au milieu d'autres.

Ainsi, l'allaitement est le message suprême, la synthèse de tous les autres, qui vous unit dès les premiers jours, par le don certes que fait la mère, mais aussi par les saveurs, l'odeur, la sécurité. Sécurisé en effet l'enfant pour lequel d'emblée, dès les premiers besoins, le lait est toujours prêt, toujours tiède. Il n'y a pas à attendre que le biberon soit fait, chauffé, trop chaud, refroidi, dans les cris…

N'hésitez donc plus, chères mamans, à vous offrir ce plaisir. Et sachez que vous pouvez allaiter dix mois… ou dix jours, comme vous le verrez dans mon petit guide (voir p. 205). Alors pourquoi ne pas y goûter, rien que pour le plaisir ?

J'ai un « instinct de propreté »

ENTRE FREUD
ET LES CHANGES COMPLETS

Jérôme

Posé sur la table, sur la grande feuille blanche, démailloté, tout nu, rafraîchi, je me suis soudain figé. Un jet glorieux aspergeait le stéthoscope.

— Excusez-le, dit ma mère confuse…

Mais le docteur rit :

— Tous les bébés font de même ! C'est la fraîcheur, et puis le fait d'être déshabillé. Et regardez comme il l'a bien perçu ! Il s'est immobilisé. Cette perception lui sera nécessaire pour devenir propre…

— Propre ! Ah docteur, ne m'en parlez pas, quelle aventure ! Mon grand, qui a sept ans, se mouille encore la nuit. Il est énurétique. On dit que c'est psychologique…

Et oui ! psy psy psy fait l'énurétique… Mon frère Renaud en l'occurrence.

Mais non, me dites-vous, pas tout à fait, le pipi au lit ne fait pas de bruit !

C'est vrai, maman, mon frère se mouille, consciencieusement, chaudement, tranquillement, en douceur, trempant délicieusement dans le petit bain tiède que retient son alèse (comme il flottait dans ton liquide amniotique, dirait Freud...). Et comme c'est un garçon, le voilà sanctifié d'une belle auréole ronde sur le drap de dessus, entretenu de soir en soir dans son odeur à lui par la couette moelleuse qu'il a imprégnée tel un chien signant son territoire. C'est vrai, il fait pipi silencieusement, comme l'encre s'étale sur un papier buvard. Et le matin, hop debout, les pores bien imprégnés, le voilà prêt à enfiler son jean et son pull, et après un brossage symbolique des dents, à filer vers l'école.

L'odeur ? Quelle odeur ? Ce n'est pas son problème...

« Ah, non, là tu exagères ! » Quand j'entre dans la chambre, voilà Renaud honteux et qui va se laver. Il aimerait bien pouvoir me dire : « Cette nuit, je n'ai pas fait ! »

Honteux... ou craintif ? Craintif surtout, parce qu'il sait que les autres n'aiment pas ça, parce que votre humeur, à papa et à toi, va s'assombrir, parce qu'il ne sait pas si ce matin on lèvera la main, on haussera l'épaule, on hurlera aux loups...

Mais quand le soir retombera, quand le sommeil l'engourdira, quand il sera dans un lit humide de son odeur, demain matin, et la trique, et la gueule et la morale et la douche paraîtront bien loin à son cerveau béatement engourdi.

« Voilà le mot, penses-tu encore : en-gour-di. » Le pauvre, il dort si profondément ! Quand maman le lève, il tombe, il ne réalise même pas, il a le sommeil comateux. Ce n'est pas de sa faute !

Alors, fait pipi mon frère, fait pipi fait pipi mon frère... Non, parce que nous devions dormir chez Anaïs, parce que la petite de tante Amélie est propre, elle, parce que... tu en as eu assez. Puis tu t'es confiée à la famille, à maman, aux amies (intimes), tu as lu les journaux et tu as tout essayé.

Première grande manœuvre : la morale. Il baisse les

yeux, il voudrait bien, il ne se rend pas compte, il n'y peut rien. Est-ce vrai ?

Dr Edwige Antier

Vieux débat. Pour ma part, j'en suis venue à l'évidence que cela dépendait des enfants et des moments. Il est évident que certains se rendent compte quelquefois. L'un de mes maîtres nous parlait volontiers de cette mère qui lui assurait : « C'est évident, docteur, il ne sent rien, il dort profondément », jusqu'au jour où elle surprit le blondin en pleine nuit, debout, visant son traversin ! Mais ne vous précipitez pas en rage sur le vôtre, il n'est pas dit qu'il en fasse autant. Combien sont réellement engloutis par un sommeil si profond, qu'il est impossible et douloureux de les en tirer ! Et si vous le guidez titubant sur le trône, il fait sans s'en rendre compte, ni s'en souvenir. Pourquoi n'en serait-il pas ainsi dans son lit ?

En fait, on peut penser que selon les moments, il réalise plus ou moins, mais ce qui est certain, c'est qu'il est bien dedans. La preuve en est que s'il vient à se réveiller, il ne bondit pas dégoûté hors de son lit, pour se sécher et se changer, comme vous feriez en pareil cas, mais attend dans la chère moiteur la dernière extrémité pour se lever.

Jérôme

La morale en tout cas semble s'écraser sur le mur du sommeil douillettement arrosé.

Deuxième grande manœuvre : maman lève Renaud la nuit, pour l'habituer aux draps secs. Mais il dort, il titube, il ne fait pas pipi, ou il ne refait pas et elle n'en peut plus.

On met alors à l'ordre du jour le régime Sahara : plus de boisson à partir de 16 heures ! Finis les Coca-cola, Orangina, grenadine sans colorant, et autres édulcorants du siècle. Mais Renaud pleure, il triche et il se trempe.

Papa humilié, fatigué, décide qu'une bonne raclée pourrait bien résoudre le problème. Et le matin, embrumé, il se force à la fessée décidée, laissant mon grand frère heureux qu'on en finisse, et mon père envahi d'une bizarre impression de culpabilité ; car le doute est toujours là : « Mais est-ce vraiment de sa faute ? » La réponse, semble-t-il, est « non », quand, au bout de plusieurs jours de fessées besogneuses, le lit reste toujours mouillé. « Ce petit n'y peut rien, c'est une maladie, parles-en à ton médecin. »

Consultation, analyses, dessins de Renaud pour se défouler, dessins du docteur pour expliquer : petits tuyaux, robinets qui s'ouvrent et se ferment, bien fort.

Le regard fuit, le corps se dandine.

— Quand est-ce qu'on s'en va, maman ?

— Tu marqueras sur ce carnet les jours où tu ne fais pas, tu me téléphoneras.

On perdra le carnet, on oubliera de téléphoner...

Uristop, pipistop, il paraît que ça fait des miracles. Qu'est-ce que c'est ? La chaise électrique du coupable d'énurésie, pardon... la culotte électrique. Quelques gouttes et le prospectus vous explique que l'enfant sera brutalement réveillé par un courant (modéré, un fourmillement dans les doigts ; ou bien une sonnerie qui excitera ses tympans engourdis). Succès garanti en trois mois, vous le louez tout simplement à la pharmacie. Oui, mais voilà... La bague a toujours mystérieusement glissé du doigt avant d'envoyer son courant, la sonnerie s'est curieusement débranchée, « il bouge tant en dormant »..., ou bien le sifflement strident réveille maman, papa et moi le petit frère qui me mets à hurler. Le coupable, lui, dort à poings fermés dans son lit trempé.

L'acupuncture ? Le stop pipi des petits Chinois. Médecine parallèle, il n'y a que cela. Voilà notre garçon piqué d'aiguilles aux mains, aux pieds, tel Jésus sur la croix, les larmes coulant des yeux.

Ce soir-là est sec, eurêka. Mais demain sera mouillé, et

après-demain, et le soir de la deuxième séance. Renaud ne veut plus se transformer en pelote d'épingles, merci docteur, excusez-nous.

Toujours dans le parallélisme de la médecine, après les petites aiguilles, les petites pilules. Pourquoi pas ? Cela ne peut pas lui faire de mal, nous dit tante Rosalie.

… Et le lit est toujours mouillé !

De morale en fessée, du pipi à sonnette aux mini-pilules, les questions de notre entourage se sont faites de plus en plus lourdes : « Qu'est-ce qui l'a traumatisé, ce petit ? » Le mot est lâché… Il a été traumatisé !

Direction : le psychologue.

L'avez-vous forcé, grondé ? Lui avez-vous donné un petit frère trop tôt, trop tard ? L'avez-vous mis en crèche justement le mois où il ne fallait pas ? Ou bien lui avez-vous caché que son chien est mort, ou l'avez-vous changé de lit ? Ou peut-être avez-vous divorcé ? Alors là, bien sûr, ça expliquerait tout ! Et d'ailleurs, n'étiez-vous pas vous-même énurétique ? Voilà la grande roue de la culpabilité qui tourne dans la poitrine de nos parents, et matin après matin, leur fait baisser les bras.

Psy psy psy fait le pisseur au lit.

Dr Edwige Antier

Et si je vous livrais mes observations, pas toujours si psy que ça ?

Tout cela parce que, voyez-vous, nous sommes coincés entre Freud et les « changes complets ».

Enfin… entre une mauvaise vulgarisation des découvertes psychologiques du XXe siècle et une utilisation abusive des fameuses couches. Car les observations des psychiatres et psychanalystes concernant la propreté ont souffert d'une grave distorsion en même temps qu'elles se répandaient dans le grand public. Parce que Freud et ses élèves ont dit qu'à la période œdipienne et post-œdipienne, l'énurésie, c'est-à-dire le fait de mouiller son lit, avait pour rôle de « vérifier la non-castration ». Cette émission d'urine a valeur d'identification fantasmatique à la virilité paternelle. Elle soulage un sentiment de culpabilité, etc.

Mais cette analyse n'est pleinement valable que pour l'énurésie secondaire, c'est-à-dire l'énurésie qui survient après une longue période, des mois, souvent des années déjà propres. Oui, se mouiller alors qu'on a été longtemps et totalement contrôlé est un signe de régression et doit indiquer un sentiment d'abandon ou de frustration mal supporté. Oui, c'est un retour à un état de dépendance, à une complaisance consolante. Mais ces cas-là sont rares, très rares.

Quant à la plupart de nos enfants énurétiques, ce sont presque toujours des enfants qui n'ont jamais su se contrôler, ou pendant quelques semaines au plus.

Écoutez nos éminents psychiatres, tel le Dr Jean Duché : « Il s'agit là d'une énurésie primaire persistante de "non-entraîné" qui pose la question de l'apprentissage peut-être en rapport avec un laisser-aller ou une passivité familiale. L'énurésie est ainsi le plus souvent le "témoin d'un défaut d'élevage". Il s'agit là d'une énurésie imposée par défaut ou manque de vigilance, par mauvaise habitude prise et rapidement invétérée. »

Lisez bien : une énurésie imposée. On impose à ces enfants de faire pipi dans leur couche. Car un bébé a bien, de lui-même et bien précocement, un réflexe de propreté. Combien de fois, sitôt dévêtu, le nouveau-né inonde la table d'examen. De lui-même, en fait très tôt, il n'aime pas mouiller son linge et attend d'être dévêtu. « De nombreuses observations prouvent que si l'on savait ou pouvait surprendre le nourrisson au moment de chacune de ses mictions, il atteindrait rapidement le stade qu'il préfère : être maintenu au sec plutôt que mouillé. Si l'enfant se mouille, c'est que son entourage a désappris son langage primitif. Il se mouille parce qu'on ne le comprend pas et qu'on l'oblige à se mouiller. »

Comme je suis d'accord ! Enlevez totalement les couches à votre enfant dès neuf mois, asseyez-le toutes les deux heures, deux heures trente sur le pot, sans contrainte ni ennui, en jouant, et il deviendra propre ! « Mais il ne comprend pas ! » me répondez-vous. Le but n'est pas qu'il comprenne, de faire bravo ou de gronder. Le but est de lui donner l'habitude d'un état normal sec, comme vous lui donnez l'habitude d'être baigné sans lui expliquer le danger de la saleté, habillé sans lui faire un cours sur la coquetterie... « Mais, pourquoi ne pas attendre deux ans, l'âge où justement il comprendra ? » Vous pouvez attendre deux ans... Mais mon expérience m'a montré que la meilleure période était entre neuf et dix-huit mois. À cet âge, l'enfant s'habitue vite à être sec et à attendre que vous le mettiez sur le pot, si vous le faites bien régulièrement. Dans le cas contraire, il s'habitue tout autant à faire dans sa couche. Si vous ne prenez pas l'initiative, vous l'obligez à se mouiller, vous l'éduquez à faire dans sa couche, comme M. Jourdain faisait de la prose sans le savoir. Vous le contre-éduquez ! Et ensuite, parce que vous en avez assez de ces grosses couches disgracieuses, parce que l'entrée à la maternelle se profile à l'horizon, vous lui ferez un cours sur la propreté. Il sera alors en pleine phase d'opposition. Vous aurez le maximum de difficultés le jour ; quant à la nuit... un Français sur dix est énurétique, c'est-à-dire fait pipi au lit après quatre ans !

Vous me direz :

« Tout ça, bravo, mais voilà deux jours que j'essaie, il y a des flaques partout, ma moquette va être fichue, vraiment, les couches c'est plus simple. »

C'est vrai, les appartements moquettés, le linge d'hiver, les journées bien remplies, l'enfant gardé ici ou là avec des méthodes différentes ne vous simplifient pas la tâche. Si vous êtes convaincue qu'il faut l'éduquer gentiment, mais l'éduquer tout de même, vous trouverez bien une période d'été, entre neuf et dix-huit mois, où, à la campagne, vous pourrez le laisser en petite culotte. Jouez régulièrement avec lui, en le mettant sur son pot.

« Ce n'est pas ce qu'on lit dans les manuels : ne traumatisez pas votre enfant, laissez-le devenir propre tout seul. » Je vous l'ai dit, il s'agit là d'une distorsion des écrits psychanalytiques. Tout n'est pas « psy ». D'ailleurs il n'y a pas de profil psychologique de l'énurétique. Duché ne trouve « aucune unité entre les diverses descriptions caractérologiques de l'énurésie » et considère que « l'établissement d'un profil psychologique pouvant être valable pour tous les énurétiques est illusoire. On trouve aussi bien des énurétiques passifs, asthéniques, paresseux, mous et des hyperactifs, excitables, opposants et revendicatifs ». Non, il n'y a pas un « caractériel » ou un « mollasson » énurétique type. Il y a surtout des enfants éduqués à salir leur couche !

Que penser du fait qu'il y a plus d'énurétiques quand les parents ont eux-mêmes mouillé leur lit ? Comme l'indique Telma Roca, « des parents eux-mêmes énurétiques peuvent avoir une attitude de crainte ou de surprotection motivée par le souvenir de leur propre humiliation ». Cette attitude n'incite pas à éduquer correctement l'enfant…

« Donc, vous nous dites de le mettre sur le pot très tôt, à heures régulières. Et pourtant, il est écrit partout qu'être ainsi attentive peut entraîner une réaction de refus plus grave que la passivité… »

Non, être attentive et vigilante n'entraîne pas de refus. Attentive dans le jeu, la tendresse, et sans réprimande ! Bien sûr, être obsessionnelle ou phobique de la saleté, gronder sans cesse et même asseoir par punition son enfant sur la plaque d'un réchaud brûlant, comme je l'ai vu faire, ne tient pas de l'éducation mais du sadisme. C'est pour lutter contre la perversion qui se donne libre cours sur les enfants, sous couvert d'éducation, que l'on a préféré conseiller la passivité. Malheureusement, nos petits paieront souvent ce laxisme d'un pipi au lit qui humiliera tant de leurs belles années.

Habituez simplement votre enfant dès la première année à être sec, et vous lui rendrez un grand service.

« Et pour notre Renaud, qui maintenant mouille son lit, à sept ans ? »

Que l'énurésie ait été primaire, sans aucune période de propreté, ou secondaire, à cet âge-là le psychisme, c'est certain, s'en mêlera de toute façon… et alors le traitement sera plus long.

À ce combat tardif contre l'énurésie, mené par l'enfant, par la psychothérapeute, par le pédiatre, par la famille, ne faut-il pas préférer une habituation (plutôt qu'éducation), une tendre et vigilante habituation précoce à l'état sec ?

Mais pour réussir, il y faut, c'est vrai, plus de patience et d'amour que pour mettre, zip-zip, un hermétique « change complet », anti-fuites, anti-rougeurs, et, passé un an… anti-éducation !

Comme l'écrit J. de Ajuriaguerra : « Aussi bien dans les cas d'énurésie primaire que secondaire, l'énurésie devient une habitude, un état non adapté dans l'un, par le manque de conditionnement ; dans l'autre, par un conditionnement pathologique. Dans le cas d'une personnalité en évolution, l'énurésie est en même temps agie et subie, bénéfice et gêne. C'est dans cet état d'ambivalence que la thérapeutique (entendez la psychothérapie) peut, soit en apportant de nouveaux bénéfices, soit en créant de nouvelles motivations, soit par une mise en activité de systèmes organiques en état de passivité, (certains médicaments peuvent aussi y contribuer), aider l'enfant à trouver une issue et lui permettre de sortir de son malaise qui, dans notre culture, lui apporte en fin de compte plus d'inconvénients que de profits. » (cf. Biblio 1)

DEUXIÈME PARTIE

M'allaiter ?
Pas facile aujourd'hui !

Jérôme

Ce fut décidé.

Ma mère m'allaiterait au sein.

Elle avait lu que le lait maternel « aux anticorps » rend les enfants plus forts, un peu comme la lessive aux enzymes fait le linge plus blanc…

Donc, elle me donnerait son sein.

Mais, quoi qu'en disent les professeurs et les magazines, ce ne fut pas facile…

L'entourage a harcelé ma mère

LE PARCOURS DU COMBATTANT

« Laissez-le pleurer
Donnez-lui le sein
Complétez au Guigoz
Biberon interdit
Tirez votre lait
Pas de tireuse
Ne regardez pas l'heure
Donnez-lui, c'est l'heure
Pesez avant et après
Ne le pesez pas
Donnez-lui la nuit
Laissez-le pleurer… »

Jérôme

Ah, elle en aura entendu, ma mère, pendant ces premiers jours… À vous dégoûter à tout jamais d'allaiter…

Son amie Martine : « Tu as raison, on dit que le lait maternel c'est mieux pour le petit. Mais tu risques d'avoir des problèmes ! Moi, je n'avais pas assez de lait. L'enfer.

Après chaque tétée il pleurait. On le pesait : il n'avait bu que vingt grammes. Il fallait compléter par un biberon. Tu vois le travail ! Toutes les trois heures ! De tétée en biberon, de biberon en tétée, mon bébé passait son temps à pleurer… Atroce. Non, vraiment, je n'avais pas assez de lait. Au bout de quinze jours, je n'en avais plus du tout. C'est arrivé à beaucoup de mes amies… Enfin, j'ai fait l'effort ! »

Mamie Bourrinet : « Tu le mets au sein tout de suite ? Mais tu n'as rien ! Et puis, tu vas te crever. De toute façon, il a des glaires à recracher. C'est beaucoup trop tôt. »

Ma tante Catherine : « Moi, je n'ai pas voulu, ça déforme la poitrine, Pierre n'aurait pas aimé ! »

Martine : « De toute façon, mon lait n'était pas assez riche. Clair comme de l'eau. Ils ont beau dire que le lait maternel est toujours bon, Clément se tordait de douleurs et pleurait sans cesse… J'ai vite compris qu'il avait faim et je lui ai donné le biberon. »

Mamie Bourrinet : « À quoi ça sert que tu allaites, puisque tu vas retravailler dans deux mois. C'est ridicule, toutes ces complications, pour arrêter… »

Une infirmière : « Ma pauvre dame, avec les mamelons que vous avez, on ne va pas aller loin ! »

Une autre : « D'accord, ça marche. Mais une fois chez vous, avec tout ce que vous aurez à faire, je ne vous en donne pas pour une semaine… »

Une autre : « Ne le laissez pas plus de dix minutes. Il ne tète plus, voyons, il joue avec votre sein. Gare à vous, vous allez avoir des crevasses ! »

Martine : « Des crevasses ? C'est horrible ! Ma sœur en a eu, ça saigne, ça pince, il faut se mettre toutes sortes de produits, nettoyer, sécher, tu n'en sors pas ! Ça fait mal et c'est long à guérir, et pendant ce temps, il faut bien que le bébé boive… »

L'infirmière : « Vos seins sont trop gonflés, ce matin.

Vous avez un engorgement, avec ce bébé qui dort tout le temps. Bon, mon petit, on va prendre la tireuse. »

Tante Catherine : « Tu as la grippe, tu as de la fièvre, et tu continues de lui donner du lait ? Mais tu vas le tuer ! »

Michèle : « Moi, je n'allaiterai pas. On m'a dit qu'après une césarienne, on est trop crevée. »

Mamie Bourrinet : « Tu le remets au sein, déjà ? (maman : « Mais il pleure... ») Tu vas lui dilater l'estomac. Pas étonnant qu'il recrache ! »

Tante Catherine : « Tu vas abîmer ta poitrine, tacher tes robes, et tu ne pourras pas sortir. Ton enfant aura des anticorps mais ton mari va prendre une maîtresse ! »

Dr Edwige Antier

Serez-vous ensuite étonnée que les femmes sortent de cette période d'allaitement complètement moulues, épuisées et souvent amères ? La contradiction est totale. On les a convaincues qu'il fallait nourrir leur petit de leur lait, que ce serait naturel, simple... Mais ni la société, ni la famille, ni parfois l'équipe médicale ne sont aujourd'hui préparées à cette fonction oubliée de nos mémoires encombrées par Racine et Pythagore : l'allaitement.

Mal préparée, mal entourée, une Française sur trois aujourd'hui déclare forfait en cours de route, certes soulagée, mais avec un profond sentiment d'échec. Ce n'est pas pour son bébé la condition idéale pour entrer dans la vie... Et la prochaine fois, quels que soient vos sages arguments, cette mère, vous ne l'y reprendrez pas ! À moins de l'aider, de l'aider vraiment.

De l'aider ? Mais comment ?

« Voyons, n'insistez pas, cela vient de son moi profond, vous n'y pouvez rien. » Est-ce bien sûr ?

Elle est restée enfermée chez elle

À HUIS CLOS

Jérôme

Kowi, avec son sourire plein de soleil, m'a raconté la vie dans son île du Pacifique.

La natte est étalée sur l'herbe. Les femmes parlent et rient, grignotent, tressent des chapeaux. Ces grands chapeaux de feuilles de cocotier croisées que l'on piquera d'hibiscus et de frangipane. Les bambins de deux-trois ans courent chercher les fleurs, s'arrêtent en chemin pour jouer avec un chien et reviennent. Les plus petits dorment dans le paréo noué à même le ventre de la mère assise, s'agitent, couinent un peu, mais le sein est là, tout près, le bébé tète, les conversations reprennent gaiement. Une femme court rattraper un gamin, est-ce le sien ?… peu importe, ici on fait « pool commun » d'enfants. Toutes celles qui ne peuvent aller aux champs, les femmes enceintes, les vieilles, les mères allaitant sont là, groupées sur la natte, port d'attache tranquille pour cet essaim de marmots qui va, qui vient, joyeux.

Dans ce cercle pépiant et riant, pas de montre : les

pleurs des bébés règlent les tétées, les voilà calmés, la parlote continue. Donner le sein fait partie tout simplement du cadre de la vie commune. Personne n'est exclu, personne ne se cache. Les impressions des unes, des autres sont échangées, les tétées données là, au milieu des enfants. Les hommes rentrent du travail et ne s'étonnent ni ne se retournent, ni ne se détournent.

Ainsi, quand le bébé va naître, sa mère ne sera déconcertée ni par ses phases de pleurs anarchiques ni par ses longues périodes de sommeil. Elle donnera son sein, sans se déranger, le bébé noué contre elle ; sans s'ennuyer, les autres femmes du clan sont là. La nuit, dans la case commune à toute la famille, elle prendra naturellement son bébé contre elle, s'il a faim il tétera. Quelle heure est-il ? Qui s'en soucie ?

Depuis son plus jeune âge Kowi a vécu ce rite des femmes allaitant, sans complexe et sans pudeur, sur la natte et dans la case, ou bien dans l'autobus qui mène à Nouméa, ou sous les flamboyants de la grande place. Sous les flamboyants…

Mais pour nous, bien sûr, cela ne s'est pas tout à fait réalisé comme ça, au 12, rue du Général-Foix, bâtiment C, 4e étage.

L'appartement est propre, maman a tout nettoyé avant ma venue. La chambre est claire, tapissée de fleurs naïves. Mais, regardez ce qui se passe dans sa tête : maman est fatiguée, elle n'en peut plus. Elle a honte, elle se sent coupable de ne pas être plus heureuse. Elle que le monde félicite d'avoir un si joli petit garçon, elle se prend à regretter ses amies de bureau, les impressions qu'on échange, les soucis qu'on partage. Ici, elle est seule. Depuis son retour de maternité, elle se sent prisonnière entre quatre murs, otage de son enfant. Ce bébé, son bébé, moi, je suis beau, c'est vrai. Mais pour l'instant, je lui apporte, il faut le reconnaître, plus de souci que de joie. Me voilà qui pleure. Toujours à contretemps. « C'est sûr, je n'ai pas assez de lait, se dit-elle, tant pis, je vais lui donner un biberon. Au moins, je verrai ce qu'il prend, et il sera plus “calé”... Et ce rot qui ne vient pas. Et ces crevasses qui me font mal... Il pleure à nouveau. Ne lui ai-je pas trop donné, aurait-il mal au ventre ? Je téléphonerais bien pour demander conseil. Mais à qui ? Au médecin ? Je l'ai déjà dérangé hier... À ma mère ? Elle m'a donné cent fois son avis : cesser cet allaitement et donner des biberons, comme en ont eu tous les bébés de ma génération... À mon mari ? Il ne comprendrait pas qu'à la maison, toute la journée, “à ne pas travailler”, je ne m'en sorte pas. Lui qui a tant de soucis importants dans son métier. Il m'a choisie, il faut que je sache être mère. Bon, donnons-lui le sein, après tout, je devrais bien avoir du lait ! Et allumons la télé. Mais comme ces images sont loin de moi. Qui allaite sur l'écran ? Personne, aucune femme. Cela gênerait sans doute les téléspectateurs... » Elle ouvre un magazine féminin : dans une enquête auprès des jeunes filles sur la formation de leurs seins, on leur pose les questions suivantes :

— Cela a-t-il représenté pour vous un événement important ?

— Craignez-vous le cancer du sein ?

— Approuvez-vous la libération des seins sur les plages ?

Qui parle d'allaitement ? Maman se sent, quoi qu'en disent les pédiatres, anachronique, ridicule avec ce lait qui tache... Elle pleure encore. « Demain c'est samedi, Jacques aimerait sortir un peu avec moi. Mais comment faire avec cet enfant qui ne se régularise pas ? Je ne peux pas prévoir trois heures de calme, sans tétée ! Impossible de donner mon sein en pleine ville. D'accord de se dénuder sur les plages pour bronzer, mais en ville, avec ce lait qui dégouline et la bouche de Jérôme qui suce, on me regarderait, on rirait, c'est sûr ! Je ne peux vraiment pas. Que je me sens lasse... quand Jacques va rentrer, il me trouvera encore épuisée et le petit pleurant. Ils disent que le lait de mère, c'est mieux pour le bébé. Bon, d'accord. Mais j'aimerais bien les y voir, ces professeurs ! »

Mon pauvre petit garçon, pourquoi pleure-t-il ainsi une heure après avoir bu ? A-t-il des coliques ? Le voilà qui renvoie un peu… Il digère mal mon lait, c'est évident. C'est décidé. Je vais aller voir mon médecin demain et lui dire : « J'arrête, je n'ai pas assez de lait, il pleure tout le temps, et je suis crevée… »

Dr Edwige Antier

Il faut le dire, les Françaises allaitent à huis clos. « Allaitez, mesdames, vous le devez. Mais cachez-vous. De grâce, épargnez-nous ce spectacle ! »

Allaitement obligatoire, sous peine d'être mauvaise mère. Mais allaitement tabou depuis plusieurs générations. Quelle femme aujourd'hui, arrivée à la naissance de son premier enfant, en a déjà vu une autre allaiter quotidiennement ? Ni nos grands-mères ni nos mères n'ont donné le sein. Elles sont passées de la nourrice au lait Nestlé concentré sucré, puis à la poudre de Guigoz, ou de Gallia… Ce fut pour elles un grand progrès. Elles savent qu'on dit aujourd'hui le contraire, mais elles trouvent bien étranges ces jeunes femmes qui à la fois revendiquent leur liberté, leur carrière professionnelle, et pendent leur bébé à leur mamelle. Attendrissant, mais déconcertant. Certes, ce qu'elles disent n'influencera pas directement la jeune mère dans sa décision, mais au moment où de petites difficultés surviendront, cette dernière pensera « après tout, j'ai bien poussé au biberon, moi… » C'est ainsi que, pour inconsciente qu'elle soit, l'influence de la grand-mère est prégnante. Notre étude (cf. Biblio 4) montre qu'un allaitement échouera plus souvent si la femme elle-même, dans sa propre enfance, n'a pas été nourrie au sein. Dans l'aide pour réussir, les grands-mères ne sont pas souvent au rendez-vous, quelle que soit leur bonne volonté.

Et ce n'est pas parce qu'elles sont françaises. Les étrangères, qui réussissent si bien chez elles, n'y arrivent pas non plus en France.

Jérôme

Écoutez ce que m'a raconté mon ami Mohamed qui a deux mois :

« Mes parents sont des réfugiés. Ils sont venus du Kurdistan. Mon père se plaît à parler de sa grande et noble famille respectée là-bas. Ici, il n'a pas de travail, vit en "squatter" comme ils disent, c'est un immigré.

Au dispensaire, ma mère m'a posé sur la table d'examen, devant le pédiatre qui me palpe et m'examine en tous sens :

— Il va très bien, ce petit. Il est très vif. Mais il pleure de faim. Mettez-le au sein, cela lui fera du bien et l'on s'entendra mieux.

Ma mère dégrafe sa grande robe et je me calme immédiatement.

— Docteur, il faut allaiter combien de temps ?

— Le temps que vous voulez !

— Mais combien de temps pour le bébé…

— Six mois, par exemple.

— Six mois ! s'exclame mon père qui visiblement n'attendait pas cette réponse.

— Et pourquoi pas six mois ? Au Kurdistan, combien de temps allaite-t-on ?

— Deux ans, trois ans…

— Alors, pourquoi êtes-vous étonné ?

— Parce qu'on est en France.

— Et en France, votre bébé n'est-il pas le même ?

— Mais docteur, ici, on vit à dix dans une chambre, et les hommes regardent… Ce n'est pas possible ! Au Kurdistan, dans les maisons, dans les montagnes, les femmes sont entre elles, on ne regarde pas de la même façon, même dans les villes…

— Ah ça, c'est une raison. Alors, vous l'allaiterez le

temps que vous supporterez. Mais ce n'est pas pour le bébé, c'est parce que la situation ne vous permet pas assez d'intimité. C'est autre chose. »

Dr Edwige Antier

Quelle femme, en France, donne le sein dans l'autobus, dans un jardin public et même dans la salle d'attente du médecin ? L'ose-t-elle, de temps en temps, devant les pleurs pressants du bébé, voilà les regards des autres, étonnés, un peu gênés, détournés, qui la découragent. Parfois, elle ira, parce que le bébé pleure inopinément, comme l'une d'elles m'en a témoigné, se cacher dans une église proche, pour lui donner le sein. Mais la prochaine fois, elle restera chez elle, tant qu'elle allaitera, seule avec son bébé qui a trop souvent besoin de boire. Seule avec le désordre de la salle de bains, seule avec la télévision. À la télé, on verra bien Jane Mansfield glorifier la mamelle, mais ce ne sera certes pas pour nourrir un enfant… Car, aujourd'hui, en France, cela choque de voir une femme allaiter. L'une d'elles m'a dit : « La première fois que je suis venue à une réunion de la Leche League [1] elles étaient toutes là, avec leur enfant au sein. Les plus grands allaient jouer, puis revenaient téter. Cela m'a fait rire sur le moment, et j'étais très gênée. Et puis, ensuite, je me suis rendu compte qu'en fait cela m'avait "débloquée". »

Oui, nous sommes toutes, tous bloqués.

Jérôme

Maman n'a jamais vu une mère allaiter naturellement, jour après jour, mois après mois. Il lui faut se cacher pour donner le sein à son petit, si elle ne veut pas faire rire. Mais elle doit allaiter pour son bien, les pédiatres, les magazines le lui ont dit. Simplement, elle restera derrière ses murs, cloîtrée, emprisonnée pour motif d'allaitement. Elle en a pris pour trois mois.

---

1. Il s'agit d'une association américaine d'entraide pour l'allaitement.

L'homme par qui le lait coule

QUAND MON PÈRE EN A EU ASSEZ…

Jérôme

Quand papa a quitté la maternité, il s'est dit : « Vivement que ma femme sorte d'ici, que je la récupère un peu sans cette barrière de soins, de médecins, d'amis, de famille. » Mais lorsque maman et moi sommes arrivés à la maison, je n'ai pas été très gentil, vous vous en souvenez. J'ai pleuré au bout d'une heure, au bout de deux, puis j'en ai dormi quatre, maman ne savait plus où elle en était. La nuit, j'étais un vrai réveil, à une heure du matin, à quatre heures. Et chaque fois le cycle s'enchaînait, tétée, toilette, rot, coucher. Elle ne faisait que ça. Mon père ne pouvait pas dormir, n'osait pas râler. Mais un jour, il éclata. Il était rentré ce soir-là à huit heures, il avait faim, il était fatigué, aurait voulu parler à ma mère d'un collègue qui lui cherchait des ennuis. Quand il entra dans la maison, justement je pleurais…

— Pourquoi pleure-t-il encore, ce gosse ?

— Il a faim.

Maman ouvrit son corsage. Alors mon père explosa :

— Je sais que ce n'est pas de ta faute, mais j'en ai assez. J'en ai vraiment assez. Tu passes ton temps à ça. Ça ne sent plus ton parfum ici, ni mon tabac, ça sent le lait. Le lait, le lait, encore le lait. Et tu es épuisée. Plus question d'aller dîner au restaurant, et si nous sortons chez des amis, il faut qu'au milieu du repas tu t'isoles dans la chambre pour donner le sein ! Ce n'est pas normal que cet enfant réclame si souvent ! Donne-lui des biberons, c'est tellement simple, n'y a-t-il pas des milliers et des milliers d'enfants qui ont grandi au biberon sans ennuis ? Et puis, je pourrais lui donner moi-même à boire, enfin je m'en occuperais et toi, tu te reposerais un peu ! De toute façon, tu vas bientôt retravailler…

C'est ce jour-là, souvenez-vous, que je connus mon premier biberon et que, très vite, le sein de ma mère se tarit.

Dr Edwige Antier

Car le lait coule autant par le père que par la mère. Ses encouragements, sa sérénité, sa confiance dans les capacités maternelles de sa femme, sa solidarité dans les moments éprouvants créent le climat nécessaire. À tel point que l'importance du rôle paternel a été déjà soulignée aux États-Unis par Parkes en 1972 et Raphaël en 1976 (cf. Biblio 5). Ce dernier a suggéré que le père jouait le rôle d'une *doula* pour l'allaitement, sorte de nounou sud-américaine qui procure pendant l'accouchement, sans y jouer un rôle actif, un encouragement psychologique et une assistance physique à la mère. Ruth A. Lawrence (cf. Biblio 9) estime que la décision d'allaitement devrait être prise avec le plein assentiment du père, dans la plupart des cas. L'homme en effet peut être ce personnage pendant l'allaitement, cette *doula* apportant la sérénité, se montrant heureux que son enfant prenne le sein, et restant serein devant les petites embûches passagères. Qu'au contraire il exprime impatience, insatisfaction, scepticisme, qu'il s'exclue en prétextant travail ou obligations, alors la femme se plaindra vite de « ne pas avoir de lait » et arrêtera.

Hommes, nos compagnons, ne soyez pas jaloux, et impatients de donner vous-mêmes le biberon. Le lait de la mère coule par vous, grâce à la façon dont vous sécurisez, dont vous dédramatisez. Ne vous sentez pas frustrés de ne pas donner vous-mêmes le lait au bébé. « Pain d'homme et lait de femme » font les enfants forts, dit le proverbe.

L'alibi

SON TRAVAIL L'ATTENDAIT

Jérôme

« Travailler ! Tu veux travailler ! »

Le chœur des hommes de la famille et des grands-parents s'est enflé. « On ne peut pas vouloir travailler hors de la maison et allaiter en même temps ! »

C'est alors que maman a dû arrêter malgré tout et me donner à manger quantité de petits pots et de mixtures diverses.

Là où j'ai regretté, c'est quand j'ai connu Valentine à la crèche.

Sa mère est retournée au bureau depuis quinze jours. Bien sûr, ses journées ont changé. Mais le matin, avant de partir, elle fait le plein de tendresse. Sa maman la prend encore tout endormie dans son grand lit et elle continue de somnoler pendant que, lovée entre père et mère, elle trouve avec délice leur tiédeur, leur odeur, et le goût du sein ; et elle se rendort bien au chaud en tétant. Un peu plus tard, sa mère se lève comme un chat, voilà l'arôme du café. Valentine se pelotonne contre son papa. Il la prend doucement, c'est lui qui fait sa toilette et la conduit au grand large. À la crèche, elle ne prend que deux biberons. Mais le soleil ne sera pas couché que sa maman sera revenue. Tout de suite, Valentine prendra son sein, elles se retrouveront, Valentine ouvrira les yeux en tétant, sa mère lui sourira, Valentine la caressera avec ses petites mains. Puis, ce sera le bain d'eau tiède. Et ce soir, elle s'endormira entre ses parents, en tétant encore le bon sein chaud. Quand elle sera tout engourdie, sa mère la reposera doucement dans le berceau à côté et la balancera… Chut, elle dort…

Voilà la vie de Valentine.

Dr Edwige Antier

Impossible, idyllique, utopique, ce tableau ? La « femme qui travaille » est crevée, comment voulez-vous qu'en plus, elle donne ainsi trois tétées ? Je vous répondrai : la femme dont l'allaitement est satisfaisant adaptera son travail. Deux conditions sont indispensables pour rendre le travail extérieur compatible non seulement avec l'allaitement mais, tout simplement, avec la disponibilité que demande tout enfant. Deux conditions donc : la première, ne pas perdre de temps en transport. Pour cela, le domicile, le lieu de garde (nous en reparlerons) et le lieu de travail ne doivent pas être éloignés. La fatigue des transports est une fatigue stupide, surtout quand on a un enfant. Il faut s'organiser au mieux sur ce plan dès qu'on attend un bébé. La deuxième condition pour continuer d'allaiter est un aménagement des horaires, la plupart des entreprises permettant aux mères qui nourrissent leur enfant de partir le soir plus tôt. Dès lors le bébé peut avoir, comme Valentine, une tétée le matin, une à dix-sept heures et une le soir.

On me répond : « Mais avec la fatigue, la lactation va baisser ! » Il faut savoir que fabriquer du lait, en soi, n'épuise pas. Ce sont les transports, le stress, le surmenage, qui excèdent. Pas l'allaitement. Si ces facteurs sont réduits au minimum, la mère n'est pas fatiguée. Au

contraire, retrouver son enfant en lui donnant le sein maintient sa tendre complicité avec le bébé. Si elle a nourri complètement, sans biberon, depuis plusieurs semaines, la lactation est suffisamment installée pour continuer ensuite le temps qu'elle voudra à raison de trois tétées par jour.

Les femmes le savent bien d'ailleurs : vendeuse, secrétaire, infirmière, avocate, professeur de philosophie ou bien femme au foyer, elles allaitent en effet dans les mêmes proportions, avec les mêmes résultats et, tenez-vous bien, la même durée moyenne ! Si, il y a dix ans, ce sont les intellectuelles qui ont remis l'allaitement à la « mode » en écoutant les prophètes de la pédiatrie, aujourd'hui toutes les femmes de tous les milieux sont au courant. Les journaux pour femmes, pour parents, pour enfants, pour familles, se sont très bien chargés de diffuser la bonne parole : « Il faut allaiter. » Elles ont toutes lu cette grande presse et feront donc ce choix pour 60 à 80 % d'entre elles, selon les villes et selon les mois, quelle que soit leur occupation professionnelle.

Nous avons ainsi parlé avec cent femmes, après le sevrage (cf. Biblio 4). Celles qui répondaient : « j'ai arrêté parce que je devais travailler » sevraient en fait beaucoup plus tôt que ne l'aurait imposé la date de reprise de leur emploi. Les vraies raisons étaient ailleurs. Mais invoquer « le travail » est un alibi, facile pour le cercle familial et social, qui permet de ne pas discuter du fond des choses, en cette période fragile, avec ceux qui auraient du mal à comprendre…

Du mal à comprendre que ce n'est pas le procès de la femme et de son travail qu'il faut faire ; mais peut-être bien, et c'est plus douloureux, le procès de ceux qui l'entourent dans la maison, dans la rue, dans la société !

Jérôme

Si maman avait su, si papa aussi avait su…

Le premier lait artificiel

LE LAITAGE LIEBIG

Jérôme

Écoutez un peu l'histoire que conte mon arrière-grand-père.

Il est né dans un vieux moulin.

Il était donc une fois… au début du XXe siècle, une petite fille qui s'appelait Blandine. Sa mère, Marie, n'avait que seize ans. Blonde et frêle, elle « servait » comme femme de chambre à la demeure des Coudrais-Demarquez. Son dimanche après-midi était exempt de travail ; c'était jour de bal. Elle sortait de la maison cossue, où elle « faisait partie des meubles » et, ce jour-là, le commis pâtissier lui disait qu'elle était belle. De compliments en caresses, elle ne tarda pas à « tomber enceinte ». Antoine changea de pâtisserie. Marie espéra fortement s'être trompée, mais quand ses formes s'arrondirent, il fallut bien en parler à Mme Coudrais-Demarquez. La honte s'épaissit autour de Marie tout au long de ces mois. Il était évident qu'elle avait fauté. On décida que le bébé irait à la campagne, à la ferme des Martin qui avaient déjà élevé plusieurs enfants « naturels ». Par charité, on ne renverrait pas la pauvre fille. Dans le même temps d'ailleurs, elle aurait justement l'occasion de racheter sa légèreté, en nourrissant le bébé de Madame, qui devait naître quelques semaines plus tard.

Marie eut une fille, et la petite Blandine se trouva à l'âge de trois semaines chez les Martin. La fermière avait l'habitude. Elle était très fière de ce qu'elle fournissait le lait de ses propres ânesses, à Paris, pour l'étable de l'hôpital des Enfants-Assistés. Il fallait bien en effet du lait pour les bébés gênants qu'on déposait la nuit, en secret, dans le tourniquet percé à côté de la grande porte. Tandis que la mère disparaissait discrètement dans la pénombre, sous les grands arbres de l'avenue Denfert-Rochereau, le tourniquet faisait entrer le nouveau-né dans cette institution de Saint-Vincent-de-Paul, hôpital des « Enfants-Trouvés » puis des « Enfants-Assistés », où l'on allait tenter de le faire survivre. C'est ainsi que le bon Dr Parrot (cf. Biblio 12) avait fait installer à l'hôpital une étable d'ânesses qu'on faisait téter directement par les petits, particulièrement les syphilitiques, en préconisant de laver les trayons à l'eau bouillie. La personne chargée de procéder à la tétée s'asseyait sur un escabeau et maintenait l'enfant pendant la durée du repas. Il fallait compter une bonne ânesse pour deux nouveau-nés.

Ainsi Mme Martin réservait-elle ses ânesses à Paris et mettait-elle les enfants qu'on lui confiait au pis de sa chèvre. La chèvre, écrivait le Dr Grancher (cf. Biblio 7), « est l'animal nourricier que l'on emploie le plus communément à cet usage. La grosseur et la forme de ses trayons sont bien adaptées à la bouche de l'enfant ; l'abondance et les qualités de son lait, la facilité avec laquelle on la dresse à présenter sa mamelle à l'enfant, l'attachement qu'elle est susceptible de contracter pour lui sont les motifs de la préférence qu'on lui donne. Ce mode d'allaitement demande beaucoup de soin et d'attention dans le commencement pour présenter l'enfant à la mamelle, et le garantir des accidents auxquels il est exposé par la pétulance de l'animal. Lorsque celui-ci est prêt à offrir de lui-même sa mamelle, on place l'enfant dans un berceau peu élevé posé sur le sol. »

Quelles que soient toutes les qualités de la chèvre... Blandine poussait bien mal. Maintenant, c'était à la ferme que sa maman allait passer ses quelques « heures de dimanche ». Et Blandine volait alors une ou deux tétées au jeune Coudrais-Demarquez, avec la complicité de la brave Mme Martin qui fermait les yeux.

De dimanche en dimanche, la jeune mère trouvait sa fille de plus en plus pâle. Elle avait des diarrhées. On disait qu'en Allemagne, on faisait usage de lait « artificiel », imaginé par un certain M. Liebig. Ce produit était composé « de lait de vache, de farine de malt, de farine de blé, d'eau et de bicarbonate de potasse ». Son inventeur le préconisait comme succédané du lait de femme pour les nourrissons, après l'avoir expérimenté sur deux de ses enfants avec succès. Ainsi, Marie en parla-t-elle, dans la cuisine, avec le docteur Dupuis quand il vint visiter le petit Xavier. Mais le bon praticien lui opposa l'avis de l'Académie de médecine de Paris qui fut moins heureuse dans ses essais : elle nourrit exclusivement avec ce produit trois nouveau-nés qui succombèrent, aussi repoussa-t-elle à l'unanimité l'usage du lait artificiel sur les conclusions du rapport fait par le docteur Depaul.

— Et, écoute-moi bien, ma bonne Marie, Ricord, qui présidait alors cette séance, improvisa le quatrain suivant :

« De son lait, Liebig veut nourrir notre enfance,
Il prétend réussir chez ses jeunes Teutons,
Mais Depaul nous apprend que nos enfants de France
Se trouvent beaucoup mieux du bon lait de tétons. »

— Et de plus, avec quoi lui donnerais-tu ce lait « artificiel » ?

— Mais, docteur, n'existe-t-il pas des biberons ?

— Oui, le plus simple et le moins coûteux, et le

meilleur, c'est une simple petite fiole de verre de la contenance de cent grammes et arrangée ainsi qu'il suit : on met dans son goulot une éponge fine taillée exprès qui le dépasse d'un pouce et l'on coiffe le tout avec un morceau de batiste ou de mousseline que l'on fixe au moyen d'un fil. Ce fil doit serrer modérément sur l'éponge pour ralentir l'écoulement du liquide. Il faut avoir soin de tenir l'éponge humide et de bien la laver, deux fois par jour, pour que le lait ne s'altère pas dans son intérieur et ne donne pas de mauvais goût à ce liquide qui la traverse. Mais avec ces fioles, d'après mon maître Trousseau, sur quatre enfants allaités artificiellement, il en meure au moins un et les autres risquent d'être rachitiques…

— Je comprends alors pourquoi les paysans, dans le coin, m'ont dit « Marie, le biberon, c'est la rente du médecin ! » Mieux vaut encore, pour ma fille, la chèvre de Mme Martin…

Mais la chèvre de Mme Martin eut beau donner son lait à Blandine, « la diarrhée verte et les coliques, les vomissements, le choléra infantile, l'émaciation, l'entérite et le muguet » qui décimaient les enfants de Denfert-Rochereau emportèrent aussi la petite à quatre mois. Marie continua de donner son lait à Xavier Coudrais-Demarquez car il fallait qu'elle garde sa place. Son bon cœur se consola du sourire de l'enfant et du plaisir qu'il prenait à jouer avec son sein qu'il connaissait si bien. Puis elle devint sa « nourrice sèche », ses gages furent plus élevés que ceux qu'elle avait auparavant comme simple femme de chambre. Mais Xavier grandit, eut des précepteurs, et Marie retourna à la cuisine. Ses cheveux blanchirent, elle devint la vieille servante fidèle de la maison, et apprit un jour que la grande maison Nestlé avait suivi l'exemple de Liebig, puis ce fut Guigoz, dit-on ? Et que le biberon ne tuait plus.

La traite des mères

VOS GRANDS-MÈRES, DÉJÀ, N'ALLAITAIENT PAS

Jérôme

— Car vos grands-mères, avant l'arrivée des biberons, déjà n'allaitaient pas.

— ?

— Vous ne me croyez pas ?

— Nos grands-mères n'allaitaient pas ? Et comment faisaient-elles ? Le lait en poudre n'existait pas…

— Elles prenaient une nourrice.

— Et l'enfant de la nourrice ?

— Eh bien, comme Blandine, il allait à la campagne, il se « débrouillait »…

Dr Edwige Antier

Oui, il se « débrouillait ». C'était le temps du silence, le temps où les médecins qui, eux, voyaient, savaient, ne pouvaient pas témoigner, sauf dans des traités savants, réservés aux seuls initiés. C'était le temps où l'on ne voyait ni Minkowski ni Milliez, ni Lejeune ni Cabrol sur le petit écran. En 1900, ils s'appelaient Witkowski et Marfan, Grancher et Binet. On ne les disait ni professeurs ni pédiatres, mais ils mettaient au monde les enfants de Paris, ou bien ils les soignaient dans les hôpitaux qu'on appelait alors les « Enfants-Assistés », ou les « Enfants-Malades ». Et puis après, ils se rendaient sans tapage dans les beaux quartiers accoucher les « bourgeoises ».

Et si vous doutez des paroles que je vous rapporte, sachez que, certes, Baudelocque s'est vitrifiée, plastifiée, mécanisée, monitorisée, mais la vieille bibliothèque est restée bien couvée, dans le bureau de mon maître et amie Claudine Amiel Tison. Avec son aide, j'en ai ouvert la vitrine ancienne, avec la clé, pas Fichet, une vraie clé ronde qui tourne dur dans la serrure. Les portes vitrées ont grincé, libéré la poussière et, reliés plein cuir, gravés or, écrits pour le corps médical, voici les témoignages de ceux qui se sont penchés sur les berceaux des enfants de France.

C'était du temps où Baudelocque débordait les murs de Port-Royal, où les femmes en couches remplaçaient les Ursulines. Venez avec moi dans cette Baudelocque-là, et imaginez une « table ronde » qui aurait réuni les médecins des maternités de la « Belle Époque ».

À l'ordre du jour, la question :

Vos patientes donnent-elles leur lait à leur enfant, en ces années 1900 ?

Dr Variot (cf. Biblio 16) : « Si elles appartiennent à la classe fortunée, à la haute société, non. L'allaitement y est considéré comme sujétion, une corvée même, dont il est aisé de s'affranchir en payant une nourrice mercenaire. L'enfant qui prend le sein d'une autre femme n'a guère plus de risques qu'avec le lait maternel. Pendant ce temps, la jeune mère continue de mener une vie mondaine, d'assister aux réceptions, aux spectacles. »

Comment trouver une nourrice mercenaire ?

Dr Variot : « On trouve, comme nourrices, certes des femmes mariées appâtées par l'argent. À certaines, l'appât du gain fait oublier leur premier devoir qui serait plutôt de nourrir leur propre enfant... Mais pour d'autres aussi la nécessité car le plus grand nombre des femmes qui vendent leur lait dans les familles riches sont les filles mères réduites à cette extrémité pour faire élever leur propre enfant. »

Que devient cet enfant ?

Dr Variot : « Pendant que les bébés fortunés prospèrent au sein de la nourrice, on ne se préoccupe pas de ce que devient l'autre, celui qu'on a dépossédé du seul bien auquel il a droit en venant au monde : le lait de sa mère. Or, cet enfant va le plus souvent mourir. C'est ainsi qu'en France la mortalité des enfants illégitimes est extrêmement forte, presque le double de celle des enfants légitimes. »

Combien d'enfants survivront ?

Dr Marfan (cf. Biblio 10) : « D'après les statistiques de 1895 dans le service de M. Pinard, portant sur 1 896 enfants, tandis que la mortalité des enfants élevés au sein par leur propre mère est de 15 %, celle des enfants soumis à l'allaitement au sein par une nourrice à distance est de 51,15 %, celle des enfants soumis à l'allaitement artificiel dans leur famille est de 32 %, celle des enfants soumis à l'allaitement artificiel à distance est de 63 %. »

Cela signifie qu'il meurt quatre à cinq fois plus d'enfants « placés » loin de leur mère que d'enfants nourris au sein ?

Dr Marfan : « Et l'allaitement mercenaire a d'autres conséquences funestes pour la nourrice et sa famille. » Dans la Nièvre, le Dr Monot en 1867 les signalait dans un mémoire sur l'industrie des nourrices et la mortalité des petits enfants.

« Les nourrices, dit-il, contractent des habitudes d'oisiveté, de luxe, de bonne chère. Elles trouvent ensuite insupportable le rude travail des champs, le repas frugal, la misérable habitation qui les attendent au pays.

Les offres que leur font leur maître de rester à leur service en qualité de nourrice sèche ou de bonnes d'enfants en poussent un certain nombre à faire venir leur mari qui trop souvent erre dans les villes, désemparé, et destiné à sombrer. »

Plusieurs générations de grands-mères ont cherché à échapper à l'allaitement...

Dr Marfan : « L'usage de faire allaiter un enfant par une autre femme est fort ancien. Mais dans l'Antiquité, il semble qu'il n'était pas très répandu, et la fonction de nourrice était réservée aux esclaves. Si une femme libre acceptait d'allaiter pour de l'argent un enfant qui n'était pas le sien, elle était considérée comme une sorte de prostituée. C'est pendant les beaux temps de la République romaine que l'allaitement mercenaire aurait commencé à devenir très fréquent. Malgré l'avènement du christianisme et la suppression de l'esclavage chez les nations latines, en Italie, en France et en Espagne, l'allaitement mercenaire passa peu à peu dans les mœurs. Au XIIe siècle déjà, il existait à Paris des bureaux de placement pour les nourrices. »

Non, décidément, ne rougissez plus de l'exemple de vos grands-mères, femmes dévouées, le bébé naturellement pendu à la mamelle... Belle image d'Épinal, mais les médecins qui, eux, pénétraient en 1900 dans les alcôves, ont finalement dressé un tout autre tableau à quatre personnages :

— La bourgeoise des beaux quartiers qui va au spectacle tandis que son nourrisson tète le sein soupesé, jaugé tant bien que mal, d'une nourrice « sur lieu ».

— La petite-bourgeoise, aux moyens plus modestes, qui, pour travailler « au-dehors », envoie son nouveau-né chez une femme de la campagne et s'inquiète : cette nourrice donnera-t-elle vraiment son lait au bébé qui lui est confié ? Le rendra-t-elle en vie à notre famille ? Est-ce que ce sera vraiment ce même enfant ? Mieux vaut ne pas y penser, ne pas trop contrôler…

— La campagnarde qui allaite en ville, délaissant foyer, enfant, mari, et jouissant du luxe d'une maison bourgeoise.

— La « fille mère » qui doit choisir entre mourir de faim ou abandonner son enfant pour vendre son lait.

Commerce sinistre dont l'origine est simple : en 1900 déjà, allaitement n'est pas plaisir, et dès qu'on a un peu d'aisance, on s'en décharge.

Aucun texte de loi n'a pu empêcher d'ailleurs depuis des siècles et des siècles cette « traite des mères », quelle que soit l'indignation de Jean-Jacques Rousseau ou de Maxime Du Camp :

« Ça commence par la nourrice, ça continue par la bonne, ça se prolonge par l'institutrice, ça se termine par l'internat. »

Bien avant déjà, « les dames romaines, s'exclamait César, préfèrent porter sous leur bras des singes et des chiens tandis qu'elles confient leurs enfants à des nourrices mercenaires ».

« Elles se prendraient volontiers, surenchérit Guépin, si cela se pouvait, une femme de peine pour mettre au monde leur enfant. Il y a même parmi les femmes des monstres de cette espèce qui font tarir exprès la source destinée à la nourriture salutaire du genre humain comme si l'allaitement faisait tort à la beauté. »

Jérôme

Décidément, l'image de vos grands-mères (et arrière-grands-mères) qui nous allaitent puis nous font des confitures semble quelque peu à retoucher…

Et si le lait de maman restait inimitable ?

LA POTION MAGIQUE

Jérôme

Maman avait donc craqué. Décidant que donner le sein relevait en France de l'exploit impossible, et les nourrices n'étant plus d'usage, elle me présenta un biberon de lait en poudre. Deux, trois, quatre mesurettes dans l'eau, ma mère avait bien fait ses comptes. Elle se demandait si j'allais accepter facilement. N'aie pas d'inquiétude, chère maman, j'ai bien faim. Je bus goulûment et m'endormis. Mais une heure plus tard, je me mis à pleurer. Maman vint, je vomis. J'étais blanc, gris, inerte, prostré. Voilà le SAMU… la suite se passera à l'hôpital. On parle de « vomissements avec état de choc ». Je suis « intolérant aux protéines du lait de vache ». Ils ont l'habitude, tous ces docteurs, ils appellent ça IPLV. Cela signifie que je n'aurai plus une mesurette de lait en poudre. Maman restera avec moi à l'hôpital, puisque je ne peux supporter que son lait. Laissez vos vaches, vos ânesses, vos chèvres à l'étable…

Dr Edwige Antier

Jérôme obtiendra ainsi, par son intolérance bien à propos, que sa mère bénéficie d'un congé prolongé pour le nourrir. Puis le lait du sein maternel sera remplacé par une poudre venue des USA et que son père ira chercher une fois par mois dans une pharmacie spécialisée. On fera bien attention de ne lui donner ni biscuit, ni pot, ni flan qui contiendraient tant soit peu de lait bovin. À un an, il sera progressivement habitué aux protéines étrangères. Car le lait en poudre est dans tous les cas, maternisé ou non, produit à partir des vaches, et les enfants peuvent en effet faire des états de choc à ces protéines étrangères, comme on fait un choc à la pénicilline. Or vous avez bien plus peur des antibiotiques que du lait de vache pour votre bébé. Parce qu'on ne raconte pas ces histoires aux parents. Pour ne pas les culpabiliser…

Jérôme

À l'hôpital, j'ai rencontré les « rescapés du biberon ».

Antoine connaissait bien les infirmières après tous les séjours qu'il y avait faits !

Antoine

Mes parents s'étaient beaucoup informés, sur le meilleur médecin, la meilleure maternité, son équipement en réanimation… ils savaient tout. Maman avait suivi avec assiduité toutes les séances de « préparation à l'accouchement ». Et quand je vins au monde, la sage-femme, l'obstétricien, l'anesthésiste, l'infirmière, tout le monde m'attendait. J'apparus ainsi au milieu d'un aréopage en blouse blanche et fut aussitôt dorloté par mes parents qui m'avaient tant désiré.

Aussi, je ne sais pas pourquoi ma mère ne m'a pas allaité. Je ne le saurai jamais car poser la question soulèverait, paraît-il, des tempêtes de culpabilité.

Quand ma pédiatre est venue me voir, maman avait

déjà avalé ses petites pilules coupe-lait, les biberons trônaient sur la table de nuit, « nourettes » toutes prêtes, toutes stérilisées-plastifiées-hermétiques, le progrès bien emballé. Aucun recours possible, le docteur n'eut plus qu'à confirmer. J'étais un petit gars bien vif, paraît-il, trois kilos. Au septième jour, j'allais bien, la pédiatre tamponna mon carnet de santé, c'était en quelque sorte mon visa de sortie, avec mes doses de poudre, d'eau, comment stériliser les biberons et tout et tout.

Trois jours plus tard, je commençai à vomir. Puis en me changeant, maman trouva ma couche un peu rosée. « Bah, je me fais des idées, se dit-elle, je suis trop anxieuse, comme toutes les jeunes mères. Pourquoi Antoine, justement mon Antoine, aurait-il un problème ? » Seulement voilà, au change suivant, cela recommença. À peine, mais elle est très vigilante, ma maman ! Et enfin, c'était bien rose, on aurait bien dit du sang !

« Allô docteur… »

C'était bien du sang.

Radiographies, prises de sang, discussions, le grand qui a les cheveux gris et l'air sérieux dictera au jeune agitant respectueusement son stylo :

« Suspicion d'entéropathie ulcéro-nécrosante. Attitude thérapeutique : arrêt de l'alimentation, ·

Perfusion de B 27, B 22, vanine,

Pénicilline G-Gentalline,

Plasma frais congelé,

Surveillance de l'infection par numération,

Surveillance de la coagulation,

Surveillance d'une occlusion éventuelle. »

Je ne savais pas ce que cela signifiait mais je saurais ! Plus rien à boire d'abord. On m'enfila un tuyau jusqu'à la veine cave, le pipe-line qui allait m'envoyer des « calories » vingt-quatre heures sur vingt-quatre. Et cela dura deux semaines.

Doit-on l'opérer, oui, non ? Finalement cela va mieux,

« on peut commencer à l'alimenter ». Ouf, les amis, j'étais sauvé, j'allais téter.

Eh bien non. Alimentation, pour eux, cela voulait dire : changer de pipe-line. Celui-là traversa mes narines et arriva doucement dans mon estomac où il déversa goutte à goutte leur mixture. De radiographies en prises de sang, huit jours passèrent encore. Finalement arriva un biberon, mais il contenait un drôle de cocktail, je vous passe le goût… Mais enfin, je pouvais téter !

Malheureusement ce fut encore trop rapide, mon intestin ne supporta pas. Alors je vous tairai les marches arrière, les retours aux tuyaux par tous les bouts, cela dura des mois et des mois de souffrance, d'immobilité, de séparation d'avec ma mère, sauf aux « heures de visites », des mois d'une vie artificielle et douloureuse. Lorsqu'ils décidèrent enfin de me nourrir, ce fut grâce à des femmes généreuses qui voulurent bien tirer leur lait pour moi. Un coursier le ramassait chez elles, en camionnette. C'est ce qui m'a sauvé. Moi et d'autres. Car ce centre, qui reçoit encore les « entéropathies ulcéro-nécrosantes » et autres diarrhées terribles, ne manque pas de pensionnaires !

Dr Edwige Antier

Cette histoire est tout à fait authentique. Le lait maternel la prévient le plus souvent.

« Mais beaucoup d'enfants poussent au biberon », me direz-vous. Oui, vous pouvez également brûler souvent les feux rouges sans avoir d'accidents. Mais vous connaissez les risques que vous prenez. Alors pourquoi ne vous informe-t-on pas vraiment de ceux que court votre enfant quand vous ne l'allaitez pas ? Pour « ne pas culpabiliser » comme on nous dit si souvent. « Ne leur dites pas, vous allez les culpabiliser. »

Mon maître le Pr Lestradet, lorsqu'on lui demande si parler des avantages réels du lait maternel ne risque pas de culpabiliser celles qui ne veulent pas allaiter, répond (cf. Biblio 11) : « Je trouve que c'est une très mauvaise attitude des médecins que de parler de culpabilisation de la femme. La culpabilisation, c'est la leur ! Je crois que lorsqu'on détient une vérité, il faut la dire. Aussi longtemps qu'on ignorait quels étaient les avantages fantastiques du lait de femme, cela n'avait pas une grosse importance. Mais actuellement, on a réalisé des progrès considérables dans ce domaine ; les arguments sont nombreux et je trouve malhonnête de la part d'un médecin de ne pas en parler aux femmes. Ensuite, éclairées, elles pourront choisir. Quelqu'un qui n'est pas au courant d'un problème ne peut en juger. »

Pour ma part, je refuse le silence rassurant. Il est juste que les parents soient informés de ce que savent les médecins.

Et dès lors, s'ils décident que leur enfant ne sera pas allaité, c'est qu'ils ont des raisons plus importantes, des raisons profondes et respectables. Mais ils ont pris leur décision en toute connaissance de cause.

« Une histoire pareille est réservée aux prématurés, aux petits poids ! » Non. Et lorsque j'entends une mère me dire : « Je l'aurais nourrie si elle avait été petite, mais à trois kilos, ce n'est pas indispensable »... j'espère qu'elle n'aura pas de regrets. Comme la maman d'Antoine, qui me dira si souvent : « Si j'avais su, si l'on m'avait expliqué avant. » Mais expliquer dérange. Alors silence. Pour ma part, je ne me tairai pas. Je vous dirai que ces troubles digestifs graves arrivent chez des enfants de poids normal, même s'ils sont plus fréquents chez les prématurés.

« Et si je n'ai pas de lait ? » Essayez toujours ! Je vous expliquerai plus loin comment vous donner toutes les chances de réussir. Et si vous arrêtez, les quelques jours seulement pendant lesquels vous aurez donné votre lait auront déjà protégé votre enfant. C'est même la première tétée qui est la plus importante.

« Mais les nouveaux laits en poudre sont maternisés… » Cela signifie simplement plus proches du lait maternel que les précédents. Il leur manque toujours l'essentiel : les fameux anticorps. Ces anticorps constituent une barrière protectrice pour la muqueuse intestinale contre tout agent infectieux, bactéries, toxines, virus qui viendraient la léser. Le lait de la mère apporte également des cellules vivantes entières (macrophages et lymphocytes) qui renforcent l'immunité locale. La vie n'existe pas dans le lait en poudre. Enfin, la composition chimique du lait maternel favorise le développement de bonnes bactéries, non nocives, qui barrent la route aux mauvaises. Ainsi la fréquence des cas tels que celui d'Antoine diminue en même temps que le taux d'allaitement augmente.

« Tout de même, vous exagérez, ces cas sont très rares ! »

Je vais vous citer une étude (toutes concordent). Aux USA (au Grady Memorial Hospital) (cf. Biblio 8), sur mille nouveau-nés, trois seront hospitalisés pour entéropathie ulcéro-nécrosante, un sur mille décède. Ce n'est pas un risque négligeable. Il y a parmi eux des enfants de bon poids. Et ce chiffre ne tient pas compte des diarrhées plus modérées dont sont atteints beaucoup de nourrissons, dans leurs premières semaines. Même si elles n'entraînent pas une maladie aussi grave, que de frustrations pour ce bébé tenaillé par la faim, mis à l'eau, au riz et aux carottes des jours, parfois des semaines ; que d'anxiété pour cette mère à chaque change, à chaque reprise d'un peu de lait. Et comme on se dit, souvent, qu'il eût été moins fatigant d'allaiter quelques semaines, ces semaines cruciales. Et puis, il n'y a pas que les fameux anticorps ! Le lait maternel n'est pas le lait « aux anticorps » comme une lessive « aux enzymes », même si c'en est là l'avantage le plus connu.

Jérôme

L'ORL, vous connaissez ? C'est un docteur qui vient chaque jour visiter nos oreilles à l'hôpital avec une sorte de radar brillant, style radar de télécommunications par satellite, Plemeur-Bodou en plus petit, sur le front. Il vous regarde à travers ce masque comme si l'on était à un bal masqué. Mais quand je vois ça, je ne suis pas à la fête. Parce que je crains la suite pour mon camarade Philippe. C'est la troisième fois qu'il met son cornet dans l'oreille de Philippe, il y enfile un stylet... Il paraît que sa douleur s'appelle une otite ; due à ses végétations qui se sont hypertrophiées de rhinites en bronchites. Quand il est enrhumé, en effet, la toux suit, puis les maux d'oreille. « Otites à répétition », a marmonné le docteur en remplissant son carnet de navigation. Il a prescrit des piqûres épaisses, collantes, dans ses fesses, « des injections d'anticorps », a-t-il dit à sa mère. Et, voyant son ventre rond : « Le prochain, vous l'allaiterez au moins trois mois. »

Dr Edwige Antier

Le lait maternel est aussi une excellente prévention des rhino-bronchites. Le nouveau-né est complètement démuni contre tous les microbes et virus présents dans l'air qu'il respire. C'est seulement vers trois mois qu'il fabriquera les anticorps pour se défendre lui-même. Le lait maternel les lui apporte, tout prêts. On a même discuté de son rôle dans la prévention de l'allergie. Cela est controversé. Mais pour ce qui est de la fragilité aux infections respiratoires, elle est bien moindre chez les enfants nourris au sein plusieurs mois.

« Alors, plus de diarrhées, pas d'intolérance, moins d'infections respiratoires avec leurs cortèges d'otites, bronchites... C'est vraiment la potion magique ! »

Oui, c'est vraiment la potion magique.

Allaiter par plaisir

MÉLODIE D'AMOUR, CHANTE LE CŒUR D'ÉMILIE

Jérôme

Une dame de rêve entre avec nous dans l'ascenseur de la pédiatre. Noir et blanc, blanc et noir, les losanges et les carrés se coordonnent, sobres et éclatants. Mat et brillant, brillant et mat, collier de multiples rangs de perles torsadés, un côté noir, un côté blanc. Des cheveux abondants, longs, lisses et bruns, des lèvres rouges, des yeux noirs, une femme-femme avec audace. Éblouissante. J'en eus le souffle coupé tandis que nous nous tenions bêtement, comme on l'est toujours en vis-à-vis dans un ascenseur.

Maman auprès d'elle était si triste et si fatiguée que je fus ébahi de la voir appuyer sur le même bouton que nous au troisième étage, mais il n'y avait rien à redire, notre lady de rêve portait un bébé dans ses bras. Vous l'auriez plutôt imaginée sur la couverture de *Paris-Match*…

Nous nous sommes suivis dans la salle d'attente.

— Vous ne vous souvenez pas de moi ? demanda-t-elle à maman.

Maman la reconnut, elle partageait notre chambre à la maternité.

— Pardon, Madame ! Dans le fond de votre lit, toute attendrie devant Émilie, votre premier bébé, je me souviens, le docteur vous disait qu'elle était parfaite, vous étiez d'une beauté différente, fondante, vous êtes à présent rayonnante.

Maman posa la question sur la pointe des pieds :

— Et comment nourrissez-vous votre fille actuellement ?

Superwoman la regarda étonnée.

— Je l'allaite toujours, bien sûr !

Et elle montra fièrement quatre kilos de bébé rose qui vrilla son regard vif dans le mien.

Alors, maman « craqua » :

— Il faut que je vous le dise, je ne peux m'empêcher d'être admirative. Vous êtes d'une élégance très actuelle, « dans le coup ». Qui croirait, en vous rencontrant, que depuis deux mois vous avez un bébé qui tète vos seins, un peu à toute heure, sans doute, et en particulier la nuit ?

Elle sourit.

— À vrai dire, je n'avais absolument pas pensé l'allaiter. J'ai une vie professionnelle très active et cela me semblait incompatible. Mais alors que j'étais enceinte, nous avons assisté, mon mari et moi, à une réunion sur l'allaitement et en sortant, j'ai eu envie de lui donner le sein. Cela se passe très bien et nous sommes ravis tous les trois. Je suis heureuse, très heureuse d'allaiter. Nous avons vraiment une autre intimité avec mon bébé. Mais bien sûr, il va falloir que je reprenne mes activités !

Elle ne semblait pas trop pressée, finalement, d'introduire les biberons…

« Je le ferai en cas d'obligation », dit-elle.

Le docteur nous ouvrit la porte et nous avons quitté la ravissante maman, serrant contre elle ce bébé dont le plaisir et la bonne santé la gratifiaient.

Notre mère sublime allaitant son bébé à la face du monde était responsable des relations publiques d'une maison de haute couture où elle menait une très brillante carrière…

Dr Edwige Antier

Conte de fée ? Non. Cette femme existe, puisque je l'ai rencontrée. Et je pourrais vous citer bien des cas analogues. Celui de cette directrice de maternelle qui, à la rentrée de septembre, a pris son école en mains tout en allaitant Sophie. La petite tétait le matin et le soir et buvait entre-temps le lait que sa mère avait recueilli. Ce surplus s'est tari, mais les tétées continuent le matin et le soir. L'école n'a jamais si bien marché, cette maman comprend tellement mieux la sensibilité des parents, aujourd'hui !

Je pourrais vous parler de Camille aussi, qui, à neuf mois, vient se consoler de temps en temps par une petite tétée d'appoint. La maman a quatre enfants, elle est fonctionnaire. Pour l'instant elle a demandé une « mise en disponibilité » de deux ans, mais elle compte bien reprendre ensuite sa vie professionnelle !

Des exceptions ? Une conception rétrograde de la féminité ? Donner le sein, image archaïque ? Non. Nous avons constaté que nos grands-mères préféraient la nourrice et nos mères le biberon… De nos jours, les femmes deviennent nombreuses à vouloir donner leur lait à leur enfant. Très nombreuses : 60 % des Françaises allaitent au sortir de la maternité (80 % pour certaines d'entre elles). Ce chiffre ne cesse d'augmenter, il a triplé en dix ans, en France comme aux États-Unis. Une sur cinq allaite encore au cinquième mois (cf. Biblio 4), évolution qui, elle aussi, ne cesse de progresser. En Suède (où la condition féminine ne passe pas pour rétrograde !) le taux d'allaitement en maternité est de… 94 %.

Pourquoi ce regain en faveur de l'allaitement ? Pour protéger l'enfant contre les maladies ? Ce serait bien trop simple ! La peur du cancer n'a jamais fait diminuer le nombre des fumeurs… Donner le sein, bien plus que donner des anticorps, c'est continuer l'amour dont l'enfant est le symbole. Et ce n'est pas par hasard que l'allaitement est revenu en même temps que la sexualité osait s'exprimer.

Jérôme

Après cette rencontre et les premières semaines passées, je devins plus raisonnable. Je tétais à heures plus régulières, plus espacées, je pleurais moins, le souvenir du passage à l'hôpital était estompé, un véritable bonheur commençait pour nous.

« NE PAS DÉRANGER »

Il paraît qu'il y a des petites pancartes qu'on accroche ainsi aux portes des chambres d'hôtel. Vous auriez pu en mettre une le soir au pied de notre lit. Car je me lovais doucement entre mes parents et souhaitais surtout ne pas être importuné. Abandonné au creux retrouvé du ventre de maman, pulsative, nid bien chaud qui me berçait de sa respiration. Mon sommeil se faisait plus léger, je cherchais le vallonnement de son sein, trouvais le mamelon avec mes lèvres roses, je buvais le lait et son visage en même temps et papa me caressait. Papa, enroulé bien autour de nous, nous protégeait et nous réchauffait. Mon corps se pénétrait de leur odeur et de leur voix. Que se murmuraient-ils ? Je me rendormais béat, blotti entre leur tiédeur et leurs caresses.

Dr Edwige Antier

Donner le sein tient bien plus de l'érotisme que de la diététique. Les femmes disent parfois atteindre l'orgasme pendant certaines tétées, mais le plaisir est beaucoup plus diffus, c'est le plaisir du don d'amour authentique et réciproque. Et le père se fond dans ce trio charnel dont le lait est le prétexte.

Le retour de l'allaitement est non pas anachronique, mais au contraire contemporain de la libération sexuelle, faisant fi des biberons puritains. Je voudrais à ce sujet reprendre les termes d'une mère de famille : « Je crois qu'on en est à une deuxième génération de libération de la femme. Au cours de la première, il fallait travailler, s'affirmer dans des activités masculines, intellectuelles et puis se séparer de son rôle de femme. »

Aujourd'hui, elles veulent concilier travail et amour total de l'enfant désiré.

De l'éprouvette au sein de maman

Dr Edwige Antier

Et savez-vous que même chez les bébés éprouvette, le premier réflexe est de téter le sein maternel ?

Les cellules que l'on avait vues se diviser sous le microscope se sont tant multipliées qu'elles sont devenues à l'hôpital de Sèvres en ce 26 juin 1982 une petite fille toute rose buvant le sein de sa mère. Que tu soies bien venue, Alexia, malgré ce placenta qui te recouvrait ; que tu aies aussitôt respiré ; que tu aies bien tes quatre membres et une petite frimousse adorable, c'était magnifique. Mais quand tu as tété ce beau sein blanc, vois-tu, nous avons tous vraiment senti que la vie était là. La science ne s'était pas contentée, pour une fois, de maintenir la vie, elle l'avait créée.

Ce fut les jours suivants, la presse disparue, les photographes satisfaits, un doux combat pour que tu prennes le lait de ta mère, toi si petite, venue avant l'heure. Mais, crois-moi, elle ne voulait pas que tu partes et que tu soies « gavée » dans quelque unité spécialisée pour prématurés, ta maman ! Elle voulait te garder, te fondre en elle par son sein.

Alors, elle te l'a proposé, souvent, très souvent, très tendrement. Si tu dormais et n'en voulais pas, une larme perlait à ses yeux, sa gorge se nouait. Nous la rassurions, nous tirions quelques millilitres de lait, elle le voyait couler, son bon lait, dans le biberon, puis dans ta bouche encore un peu trop faible pour l'aspirer du sein. Et cela la consolait. « J'en ai suffisamment, me dit-on, et elle le boit. Elle va vite prendre des forces et tétera toute seule. » Et elle continuait, têtue, elle en tirait en plus pour que nous te le donnions, la nuit. Mais bien vite, dès le troisième jour, elle te voulut avec elle vingt-quatre heures sur vingt-quatre. Et de petite tétée en petite tétée, tu t'habituas si bien qu'il ne fut plus besoin d'en recueillir.

Merveilleuse mère qui résistait aux craintes de la chute de poids, de la fatigue, du manque de lait, et donnait, donnait… sous les yeux attendris de ton père qui ne savait que répéter : « Nous sommes tellement heureux, tellement heureux… »

Si tant de désir, surtout de conviction et de sérénité habitaient chaque mère et chaque père, toutes les femmes du monde, vois-tu ma petite Alexia, toutes les femmes du monde auraient du lait…

Si les mamans savaient

FAUSSES ET VRAIES RAISONS POUR NE PAS ALLAITER

Jérôme

Cet après-midi, nous sommes allés au square. Il y avait là Karine, avec sa maman si blonde.

« C'est très joli, me dit Karine, toutes tes belles descriptions, mais ma maman ne nous a pas allaités. Quand je dis nous, c'est nous six. Oui, je dis bien six. Car elle est maternelle, pourtant, maman ! Regarde-la : très belle, trente ans, elle attend son septième enfant. Elle se promène toujours avec deux ou trois d'entre nous, nous conduit à l'école, nous emmène au bois et nous endort tendrement le soir. Et pourtant elle ne nous a pas allaités ! Aucun d'entre nous. »

J'avais déjà entendu les conversations des mamans :

La mère de Karine : « Quand je les ai portés neuf mois, j'en ai assez, j'ai l'impression d'avoir suffisamment donné comme ça. Alors, je dépose mon bébé, je suis certes contente, mais je veux respirer. Pendant un mois, je ne veux presque plus en entendre parler ! Alors le mettre au sein… vraiment, à chacun de mes enfants, je n'en ai pas eu envie. Je mets le nouveau-né dans la chambre à côté, avec une personne pour s'occuper de lui. Et je savoure ma légèreté retrouvée. Et puis, petit à petit, nous faisons connaissance et je materne. Mais ce mois de "non-enfant", j'y ai toujours trop aspiré pour pouvoir allaiter.

Remarquez qu'aujourd'hui, pour le septième, je vais voir. Peut-être, après tout... Ce serait dommage de ne pas avoir connu cette relation ! Maintenant, je réfléchis... »

Dr Edwige Antier

Car ces sentiments, même profonds, peuvent évoluer d'une grossesse à l'autre, chaque enfant transformant la mère. L'équipe médicale ou bien l'entourage familial, évoluent. Et telle femme qui n'a pas allaité un enfant peut changer d'avis au suivant.

La mère de Mathilde : « Pour moi, c'était autre chose... Pendant ma grossesse même, je me suis rendu compte que je n'aimais pas vraiment son père. Aussi, je rejetais cette enfant. Pas question de l'allaiter ! Et j'ai quitté mon mari un an plus tard.

Mais je n'imaginais pas à la naissance combien j'aimerais ma fille pour elle-même et quelle tendre complicité il y aurait entre nous ! Et c'est aujourd'hui que je regrette de ne pas l'avoir allaitée. Je me rends compte que cela aurait été un lien de plus entre elle et moi... Je l'ai compris après, quand je l'ai bien connue. »

La mère de Bruno : « Mon mari a une vie de relations publiques très importante. Il est fondamental pour lui que j'organise des réceptions, que j'y paraisse, disponible, en forme, que nous dînions en ville souvent. Il ne comprendrait absolument pas que j'allaite, il penserait que je lui préfère le bébé. C'est une chose que j'ai sentie sans lui en parler. Je préfère ne pas ouvrir la discussion, il céderait peut-être pour avoir la conscience tranquille, mais le climat ne serait pas bon. Alors, pour ne pas l'impliquer dans cette décision de non-allaitement, j'ai dit que cela ne me tentait pas. Peut-être que si je lui avais simplement fait lire votre livre, il aurait été positivement content que je donne mon lait à Bruno… »

La mère de Dominique : « J'avais une très belle poitrine dont j'étais très fière, et mon mari aussi. J'ai donc décidé que je ne prendrais pas le risque de l'abîmer.

Mais un mois après la naissance de mon bébé, sans allaitement, c'est une catastrophe esthétique. À tel point que je n'ai pas osé montrer mon buste nu à mon mari ! Remarquez qu'il adore la petite et en est si heureux qu'il ne regrette rien. Mais vraiment si j'avais su qu'avec la seule grossesse je serais tellement transformée, je ne me serais pas privée de donner le sein ! »

Dr Edwige Antier

Cette question esthétique est aujourd'hui fondamentale. À l'heure du *topless* pendant l'été, des tee-shirts sans soutien-gorge, etc., il est légitime que les femmes tiennent à conserver une belle poitrine. Peut-on donner son lait sans y laisser sa beauté ? Écoutez ce que dit, à ce sujet, un grand chirurgien esthétique :

« La réponse ne peut être absolue. Cependant l'expérience de 30 ans de chirurgie mammaire montre qu'une très grande majorité de ptôses (affaissement de la poitrine) est d'origine génétique. Les femmes n'ont pas la poitrine de rêve qu'elles prétendent avoir avant la grossesse. Par ailleurs, elles conservent l'image de seins tendus, souvent plus jolis que les petits seins ptôsés d'avant.

La seule certitude de l'influence de la grossesse sur le sein est l'involution mammaire postgravitique (après la grossesse). Le sein diminue de volume un peu plus lors de la seconde. Cette diminution du contenu entraîne une ptôse qui n'est pas génétique mais événementielle et hormonale.

Je n'ai jamais vu de cas en rapport avec l'allaitement malgré les nombreuses enquêtes faites pour de soi-disant disgrâces. En fait, les femmes n'accusent pas l'allaitement dans l'immense majorité des cas, mais la manière dont on a coupé la montée laiteuse dans les jours qui suivaient son apparition. Je crois très honnêtement que l'on peut donner son lait sans y laisser sa beauté. » (Dr Vilain, Concours médical, mars 1982).

Vous voyez, il y a le cortège des mal-informées. Celles qui ont été la proie des méchantes histoires. Les histoires d'allaitements cauchemardesques parce que mal conduits, mal aidés. L'on ne vous épargnera pas les mauvaises raisons de se précipiter sur le biberon.

Et il y a encore bien d'autres « mauvaises raisons ».

Ainsi, si vous pensez ne pas pouvoir allaiter parce que :

— vous « n'avez pas de lait » ;
— votre mère « n'avait pas un bon lait » ;
— votre sœur « n'a pas eu de lait » ;
— vous ne verrez pas ce que boira votre bébé ;
— votre voisine a eu de « terribles crevasses » ;
— vos bouts de seins se cachent ;
— vous sortez d'une césarienne ;
— vous êtes fatiguée ;
— vous craignez d'abîmer votre poitrine ;
— vous allez rendre l'aîné jaloux ;
— vous voulez boire du champagne, fumer vos cigarettes, et manger de tout ;
— vous aimez pouvoir sortir le soir avec votre mari ;
— vous allez reprendre le travail ;

sachez que ce sont
autant de fausses raisons.

Elles ont chacune une solution que vous trouverez dans : *Le petit guide de l'allaitement moderne* à la fin de ce livre.

Les raisons du refus d'allaiter sont parfois plus profondes encore ; elles peuvent tenir aux conditions de naissance de la femme elle-même, à ses rapports avec sa propre mère, sans qu'elle en ait elle-même conscience.

Une impossibilité physique qui ne se raisonne pas. Ou bien la conviction que cela serait insupportable pour son couple, et que le déstabiliser serait pour le trio mère-père-enfant plus néfaste que le non-allaitement ! Ou bien encore un sentiment chez la femme de perdre de sa liberté par l'allaitement.

Et mieux vaut donner le biberon avec le sourire que le sein avec rancœur !

toute [illegible] de [illegible] naissance, de la mort elle-même. [illegible] rapports [illegible] propre mère, sans qu'elle en ait elle-même [illegible].

L'être humain [illegible] physique [illegible] se [illegible]. On [illegible] pour son couple, [illegible] pour le trio [illegible] [illegible] plus [illegible] bien [illegible] la [illegible] de sa liberté [illegible].

Et [illegible] la [illegible]

TROISIÈME PARTIE

Drôle de société…

Jérôme
Quand je suis né, ce fut la fête.
Vous avez sablé le champagne,
Choisi les plus beaux faire-part.
Mais quand mes dragées furent croquées,
Papa posa la question : qu'est-ce que l'on ferait de moi ?
Grand-mère, crèche ou nourrice ?
Chacun avait son opinion,
Permettez-moi d'avoir la mienne.

Mon « nouveau père »

LE PARTAGE DES TÂCHES

Jérôme

Mon père est un « nouveau père ». Un père moderne. Bien sûr, il a assisté à l'accouchement. La pédiatre aussi.

Dr Edwige Antier

Le père de Jérôme a assisté à l'accouchement.

L'aiguille du monitoring courait sur le papier, y traçant ses arabesques d'encre noire. L'homme en blanc se penchait régulièrement sur cette ligne mystérieuse avec un air grave. Le jeune père scrutait son front mais n'osait rien demander : ne pas importuner la réflexion, ne pas déconcentrer le praticien. Et la sage-femme exhortait la mère : « Allez, cette fois, ça y est, c'est la bonne ! il veut sortir, ce petit. Poussez ! poussez... encore ! »

Et mon père s'écartait, blême. Les bras ballants, les mains vides, s'éloignant pour ne pas gêner les techniciens, prendre la place des appareils, effleurer les instruments stériles. Il reculait, fixait ses chaussures.

« Poussez, poussez ! »

Le médecin était assis, les doigts palpant le périnée béant, sanguinolent. Et le père, les mains vides, fixait toujours ses pieds.

« Castré ! confiera-t-il plus tard. Je me suis senti castré. Partie, ma belle virilité. Restée là-bas, chez moi, dans mon lit, avec ma femme, lui faisant notre enfant... Mais là, dans cette salle « de travail », comme ils disent, j'étais impuissant, les mains nues. Voyeur, c'est tout. Voyeur de la douleur de ma femme, du suspense autour de notre petit, voyeur mais passif, incompétent. »

Les hommes d'aujourd'hui n'ont pas de tripes, dit-on. Mais par quelles épreuves vous fait-on passer ! Vous n'assistez pas à l'accouchement de votre femme et vous êtes un égoïste, un réactionnaire, un macho. Assistez-y, et vous avez l'air d'un con, cocu coincé dans l'angle d'une salle où votre femme est le centre d'une scène obscène, douloureuse, dangereuse... Qu'est-ce qui vous reste de tripes après ça... !

Jérôme

Mon père était donc là, et c'était à peu près comme ça ; mais ensuite, il se reprit en main.

« Allons, allons, se dit-il, puisque tout le monde le fait ! Et puis, ma femme se sent plus rassurée... »

C'est ainsi qu'en faisant mon entrée en scène sous des projecteurs de cinéma, je découvris le visage encore blême mais déjà plus ressaisi de papa. Il me prit dans ses bras, me porta à ma mère, et tout le soleil de la terre sortit alors de ses yeux ravis. Ses bras avaient retrouvé la puissance pour me porter, sa voix la chaleur pour rassurer maman. Le bonheur commençait à me pénétrer.

Cher jeune papa. C'était décidé, il allait tout partager : les nuits blanches, les lessives, les stérilisations, les biberons, les trajets à la crèche, la poche kangourou, tout. « Je suis un père moderne, se disait-il, égalitaire. Pas de raison que ma femme fasse tout ! Et puis, cela me donnera un bon contact avec mon enfant... »

C'est ainsi que maman ne m'a pas donné que des

tétées. Pour que papa puisse donner le biberon. En particulier la nuit. Elle était si fatiguée après l'accouchement. Il me changeait, elle me lavait, il me nourrissait, elle me portait, il me couchait, elle me couvrait. Un visage, l'autre, une voix, l'autre, fifty-fifty, où en étais-je ? Qui suis-je au juste, par rapport à qui, dans ce méli-mélo ? Qui est qui ?

Je n'étais pas trop fixé et je le serais de moins en moins, car, après quelques semaines, ce fut la crèche. Il s'ajouta alors d'autres voix, d'autres mains, d'autres couleurs, d'autres odeurs. Des heures et des heures d'incertitude sur le « qui viendra tout à l'heure ? » ; puis « qui viendra ce soir ? » Shalimar ou Davidoff ?

Mon papa-poule fut exemplaire, je dois le reconnaître. Il m'emmena chez la pédiatre, laça mes chaussures et poussa mon landau.

Bref, j'avais deux mères, ou plutôt une mère-père et un père-mère. Et je m'apprêtais à devenir une sorte de bébé mollusque, sans charpente sexuelle. Qui est mâle et qui est femelle, qui est comme moi et qui est pour moi ? Je ne savais pas très bien... Heureusement, l'orage éclata.

Un jour où maman parla du troisième bébé.

— Un troisième enfant ! s'exclama mon père, que je découvrais pour la première fois capable d'une fureur à la Dourakine. Un troisième ! Ah ça non !

— Je ne te comprends pas, mon chéri, tu aimes pourtant tes enfants tendrement ! Et puis, nous avons deux garçons, une petite fille...

— Bien sûr que je les aime. Mais les couches, les biberons, le landau, ça suffit. Une fois, deux fois, ça va. Maintenant, Jérôme commence à être grand, il va aller en classe, alors assez, on tourne la page, finis le talc et le lait, on vit !

Parce que mon « nouveau père », depuis trois ans, s'était arrêté de vivre.

Et plus tard, il me dira « l'homme qui lange son fils, c'est une fumisterie… Élever, protéger, aider, oui. Langer à égalité, non ! »

Dr Edwige Antier

Mais le contact avec le nouveau-né, dont nous avons justement tant parlé ? Le contact avec l'enfant, oui. Ne nous y trompons pas. L'homme peut prendre, bercer, baigner son enfant. « Jouer à la maman » s'il veut, lorsque l'envie lui prend. Seulement l'envie, le désir. Idéaliser un partage à égalité des mêmes fonctions, instaurer des conduites parallèles entre la mère et le père, c'est se tromper doublement.

Le partage égalitaire des soins du bébé va en effet contre la nature masculine. Observez les jeux des garçons et des filles. Tout petits, dès le premier âge, les garçons sont passionnés de technique, de construction, de batailles, de jeux dehors, de jeux violents. Et les filles pouponnent, habillent leurs poupées, décorent leur maison. Barbie pour les unes, Atari pour les autres. Dans toutes les familles, dans toutes les cultures, même si les rôles parfois s'entrecroisent, les dominances sont nettes, écrasantes, évidentes.

Il y a plus grave : le partage des soins du bébé nuit au développement même de l'enfant. Car le nourrisson a un besoin fondamental d'attachement à une personne unique et privilégiée, la mère en général. Il fait partie intégrante d'elle pendant les premiers mois et se constitue à partir d'elle. C'est sa mère qui lui transmet son père, par sa mère qu'il apprend à le connaître. Le rôle de l'homme est différent, complémentaire et non parallèle. L'homme apporte à la maison le soleil extérieur, les jeux, et fait rempart contre les difficultés venant des « autres ». Ce rôle-là est millénaire, chaque homme en ressent la pulsion. À trop le démystifier, on détruit en lui le désir de paternité. Du moins d'une paternité qu'il devra vivre à contre-courant de ses pulsions.

Cessons de laver le cerveau de nos hommes, de les conditionner au « langage » obligatoire, de les déviriliser autour du berceau. Le bonheur d'un enfant ne relève pas de quelques doctrines féministes, ni de quelque association pour la garde des enfants par les pères divorcés...

Les enfants ont et auront toujours besoin d'une mère-femme, d'un père-homme. N'inversons pas les rôles.

Mais le travail des femmes n'a-t-il pas tout changé, me direz-vous ? Le travail des femmes est une condition de la dignité féminine. Il ne change pas les besoins des enfants, leur besoin d'une mère et d'un père, dans leurs différences et leurs rôles complémentaires. Une société évoluée se doit de permettre que la dignité de la femme ne soit pas incompatible avec le bonheur d'être pleinement mère.

Papa. Le nom claque comme une voile au vent. La voile gonflée de la vie de dehors, de la vie sociale. Il entre et l'enfant rayonne, rit, on va jouer. Ou bien il le craint peut-être, s'il a fait une bêtise. Car c'est aussi la loi qui rentre. La loi d'un monde où l'on pourra grandir en sécurité, le monde de papa. Celui qui gronde, donc qui est fort et protecteur.

Il paraît que je vais avoir un nouvel ami, « un petit frère »

Jérôme

Il paraît que cela va être mon ami, mon petit frère.

Mes copains de classe en ont bien, des petits frères ou des petites sœurs, mais moi, à vrai dire, je ne sais pas trop ce que cela va changer. J'aurai toujours ma maman et mon papa, non ?

Pourtant, cela a l'air d'être très important. D'abord maman m'a pris très solennellement sur ses genoux pour m'expliquer ça, avec une voix grave. Je ne sais pas pourquoi elle prend une voix si grave pour me dire quelque chose qui, paraît-il, est une super bonne nouvelle… Moi, je ne le vois pas, ce fameux bébé ! On en parle tous les jours à la maison. Cela a même été l'occasion d'une dispute avec papa, parce que lui disait que c'était beaucoup trop tôt pour m'expliquer. Ne t'en fais pas, papa, tout ce que je vois, c'est que cela m'a valu d'être un bon moment sur les genoux de maman…

Dr Edwige Antier

Quand annoncer la fameuse nouvelle ?

Dès qu'il est médicalement certain que vous êtes à nouveau enceinte ? L'aîné aura bien du mal à imaginer que dans neuf mois — une éternité pour un petit enfant de trois ou quatre ans — va lui venir un « petit frère ». L'irréalité de la nouvelle risque fort de lui ôter tout impact. Et même de la rendre bien douteuse pour la suite, car une grande annonce si différée n'est plus crédible. Et le jour où le bébé sera là en chair et en os, la surprise sera doublée d'un caractère d'étrangeté. Résigné depuis longtemps à cette fable invisible, l'enfant sera interloqué et parfois agressé par le mythe devenu vif.

Alors, faut-il cacher la nouvelle ? L'intuition enfantine, toujours sensible aux émotions de la famille, ressentirait un malaise à percevoir quelque mystère caché, comme interdit. Et vivrait dans un état de malaise les confidences que les adultes ne manqueraient pas de se faire au téléphone ou derrière la porte poussée.

Réfléchissons au modèle que nous présente la nature si la médecine ne s'en mêle pas : sans tests biologiques, sans échographie, la jeune femme n'a pas de certitude de grossesse dès les premiers jours de retard de règles. Son ventre plat ne laisse rien deviner. Ce n'est que devant les semaines qui passent et le ventre qui s'arrondit que l'évidence s'impose pour l'aîné : il y a quelque chose dans le ventre de maman. Avant ce stade, je pense qu'il suffit d'en parler tout naturellement devant l'enfant sans secret. En parler devant l'enfant mais pas forcément à l'enfant. Sauf s'il pose des questions. Et n'entrer dans les détails qu'en réponse à ses interrogations.

Ni cachotterie ni annonce officielle, au stade de la conception et des semaines qui suivent, le futur bébé est avant tout l'affaire des parents. L'enfant vit au quotidien, très heureux à condition de ne pas percevoir quelque intrigue secrète.

Jérôme

Tu sais, j'ai un bébé dans mon ventre ! Comme maman. Tiens, mets ta main : il bouge. J'ai cependant du mal à voir le rapport avec les quelques gris-gris sur un papier glacé que maman ramène de chez son « gynéco », en s'extasiant devant ce nouveau personnage mythique dont on parle tellement dans la famille depuis que sa venue est annoncée. Enfin, moi aussi j'en ai dans le ventre, même si personne ne veut y croire.

Dr Edwige Antier

Tous les aînés entre un et quatre ans sont persuadés d'avoir un bébé dans leur ventre en même temps que vous. Ce n'est pas un jeu, c'est très sérieux ! Il existe encore un tel état de fusion entre leur petit corps et le vôtre qu'il est « enceint ». Ce n'est pas une raison pour abonder dans ce sens. De même que lorsqu'un enfant de cet âge veut absolument que vous acquiesciez lorsqu'il vous annonce être le facteur ou le maître l'école, vous pouvez lui dire qu'on peut faire semblant mais qu'évidemment, c'est un jeu. Car vous, parents, représentez le principe de réalité, et tout en comprenant votre petit, vous ne devez pas entrer dans ses fantasmes !

Jérôme

Maman est partie. Le bébé est né. Je n'ai pas le droit d'aller les voir. Les journées sont très longues. Même le soir, elle ne revient pas. Elle téléphone, je ne sais pas quoi lui raconter. Je suis très triste. Mais les grandes personnes disent que je devrais être content, « parce que j'ai un petit frère ». Bientôt, je pourrai jouer avec lui. Mais moi, c'est maman que je veux.

Dr Edwige Antier

Le « petit frère » à la maternité reste encore bien irréel. Dans les conditions d'hospitalisation actuelles, ce que ressent l'aîné au moment de la naissance, c'est avant tout la privation de sa mère. Souvenez-vous de ce film projeté dans l'émission « Le bébé est une personne », où l'on voyait un « grand » dépérir de tristesse dans un home d'enfants en se demandant pour quelle raison maman avait disparu. C'est pourquoi de plus en plus de maternités laissent les enfants entrer dans la chambre de leur mère. S'il n'en va pas ainsi pour la vôtre, demandez en tout cas à voir votre aîné au salon dès que vous pourrez vous lever, et chaque jour si possible. Même s'il proteste vigoureusement à chaque séparation, mieux vaut pleurer que rester dans un état d'incertitude complète sur ce qui est advenu à maman…

Jérôme

Ça y est. Il est arrivé à la maison ! Un bébé, vous savez bien comment c'est ! Les grands-parents détaillent son nez, ses oreilles, pour savoir de qui il tient ; les parents guettent ses frémissements de paupières témoignant de « compétences » surprenantes dont les plus grands chercheurs font état. Les amies, les voisins, les parrains-marraines le découvrent avec mille commentaires extasiés. Maman lui a acheté un berceau plein de volants, il y a des couches partout, des flacons de lait, d'eau de rose et de talc…, on lui a donné plein d'ours en peluche et des tenues festonnées. C'est vraiment extraordinaire un bébé !

Dr Edwige Antier

Le nouveau-né n'est pas un dieu ! S'il mérite tant d'étonnement et d'admiration, c'est parce que si petit, neuf mois seulement après la rencontre des deux cellules, le voilà déjà porteur de toutes les potentialités qui en feront un enfant. Dans seulement douze mois, il saura marcher ; à peine plus tard, il parlera, il deviendra propre… C'est sur cet espoir que l'on s'extasie, non sur son état présent : s'il devait se figer en cet instant de développement, qui s'en réjouirait ? N'est-ce pas cela qu'il faut faire comprendre au plus grand ? « Tu sais, pour l'instant, il est tout petit, il ne sait rien faire, il se salit, il ne parle pas, ne marche pas. Si nous l'aimons, c'est parce que nous espérons qu'il deviendra comme toi, qu'il saura dire tout ce que tu dis, qu'il pourra aller se promener sur ses deux jambes, parler pour demander à boire, dire bonjour et merci, comme toi. Tu as appris tout cela et nous sommes maintenant tellement fiers de toi. Il va falloir l'aider à grandir. » Certains parents me disent : « mais le bébé comprend peut-être, ce n'est pas gentil pour lui ». Mais c'est vrai, il est tout petit et ne sait rien faire encore ! Ce langage ne peut que lui donner justement envie de devenir plus grand, comme l'aîné, et non de se complaire dans un état de bébé !

Jérôme

Bon. Quand est-ce qu'on le ramène à la clinique ? Depuis qu'il est à la maison, « mon-petit-frère-dont-je-devrais-être-si-heureux-qu'il-soit-là », comme dit mamie, depuis donc qu'il est à la maison, je m'ennuie. Ma cousine Caroline est entrée à l'école, mais maman a peur que je sois jaloux si elle m'y envoie pendant qu'elle reste avec le bébé. La halte garderie et l'atelier, même verdict. Alors je reste à la maison, et je vous assure que les couches et les tétées toute la journée, c'est plutôt ennuyeux. Le seul moyen que j'aie pour que maman fasse un peu attention à moi, c'est de flanquer un jouet sur la tête du bébé, ou de lui pincer le nez. Alors ça, ça marche ! Il pleure, évidemment ; maman se précipite, m'éloigne brutalement, je pleure plus fort que le bébé (je n'arrive pas encore à penser « mon petit frère »), maman me donne une bonne fessée qui fait bien mal, console le bébé, je hurle et après je boude. Alors elle vient, elle me prend dans ses bras, elle me console. « Je sais bien que c'est dur pour toi, que tu es jaloux, mon pauvre petit... » C'est super ! Et lorsque sa marraine arrive avec un jouet en peluche pour le bébé, hop je me roule par terre et papa m'emmène acheter une petite voiture. Génial !

Dr Edwige Antier

Parce qu'on a peur que l'aîné soit jaloux, on adopte ainsi des comportements générateurs de scènes et de nervosité. La jalousie est inéluctable : pourquoi cet enfant a tel avantage et pas moi ? « Mais constructive pour peu que les parents n'entrent pas dans la danse. » Qu'est-ce que cela veut dire sur le plan pratique ?

— Respecter l'aîné, c'est le traiter en personne de deux ou trois ans, et donc favoriser les activités de cet âge, ses copains, ses jeux, ses promenades, son entrée à l'école ; bien sûr, il n'est pas question de l'y laisser toute la journée, cantine et garderie comprises, ou de l'envoyer à la campagne loin des parents ; mais favoriser ses occupations à lui, de grand, évitera les manifestations d'agressivité dues souvent bien plus à l'ennui qu'à la jalousie ! De même pendant les tétées, il est si gentil de dire : « Tiens, il tète, on a la paix. Je vais en profiter pour te raconter une histoire. » Alors la tétée devient une fête !

— Respecter le principe de réalité, en expliquant que l'on ne peut vivre les mêmes joies au même moment que les autres ; que l'on ne peut pas recevoir par exemple un cadeau toujours en même temps. La naissance de l'un n'est pas celle de l'autre, les anniversaires ne tomberont pas au même moment, et il faut apprendre à se réjouir du bonheur d'autrui.

Avoir un petit frère doit être une leçon de vie, mais pas une leçon d'ennui.

Lettre ouverte à ma grand-mère

Chère Mamie,

Tous les jours, depuis ma naissance, tu viens « aider » maman.

« Laisse la fenêtre ouverte, ce petit a trop chaud ! Ne lui donne pas si souvent à boire, ça lui dilate l'estomac. Il a des coliques, ton lait est trop acide. Ne le laisse pas pleurer comme ça, il va avoir une hernie. Ah ! Cette façon que vous avez, aujourd'hui, de ne plus mettre de bande autour de l'ombilic ! Rajoute un peu de carottes ; couche-le sur le ventre ; colle-lui l'oreille droite ; laisse-le un peu pleurer ; sors-le plus souvent ; il devrait aimer les légumes ; chez moi, il fait moins de caprices… »

Non, tu te défends d'être ainsi. Tu es une grand-mère moderne. Tu travailles, tu as autre chose à faire, tu comprends mieux les jeunes.

Pourtant, vois-tu, c'est souvent ainsi que nous vous entendons, nous les nouveau-nés, dans les chambres de la maternité, à la maison, dans le bureau de consultation du docteur. À croire que les grands-mères modernes sont « modernes » avant la naissance de leur petit-fils. C'est-à-dire en théorie. Mais en pratique, devant l'enfant charnel, vivant, qui est là, ton petit-fils, comment supporter que les choses ne soient pas faites comme tu as décidé qu'elles devaient l'être ? Que l'enfant pleure dans les bras de son père quand tu penses savoir mieux le calmer ? Qu'il rejette après la tétée quand le tien, au biberon, ne vomissait pas ?

Alors tu ne peux pas t'empêcher de conseiller : « Oh ! tu fais ce que tu veux ; les nouvelles générations n'écoutent pas. Mais moi, de mon temps… » Suivront les « je te l'avais bien dit », toute mère confondue, si jamais en effet je rejette, pleure, m'enrhume, ai la peau irritée.

Souvent, tu téléphones au pédiatre : « Docteur, ne dites pas à ma fille — ou à ma belle-fille — que je vous ai appelé. Mais dites-lui qu'elle sorte le bébé plus souvent. Ce n'est pas normal, n'est-ce pas, que cet enfant ne soit pas sorti tous les jours ! Je le lui dis, mais moi, elle n'écoute pas ! »

Pauvre mamie, qui déjà ravales les trois quarts de ce que tu penses ! Comme il est difficile d'être grand-mère aujourd'hui, où les méthodes changent vite, où les enfants sont si peu conformistes ! Mais permets-moi de te préférer grand-mère gâteau plutôt que grand-mère métronome qui compte les heures, les doses et les maladresses. Ma mère, en cette période des dragées, a tant besoin de toi tolérante, douce, bonne, et disponible. Disponible pour tout ce qui justement n'est pas son bébé. Tu l'aideras surtout en aplanissant toutes les autres difficultés… Mais laisse-la s'occuper de moi, sans commentaire. Fais-lui confiance, elle saura aussi bien que tu as su. Et alors devant ton regard spontanément attendri, elle me posera dans tes bras, qui, c'est vrai, n'attendent que ça.

Votre bon registre, à vous les mamies, c'est la tendresse et la douceur. Quelle émotion charmante de vous entendre au-dessus du berceau : « Il a le nez de notre côté. » « Mais les yeux de sa mère. » « C'est la carrure de son père. » « Comme il est beau ! N'est-ce pas qu'il est beau, docteur ? » « Mais est-ce que l'oreille n'est pas ourlée ? » « Et les bourses, avec toute cette peau ! Est-ce normal ? Je ne me souviens pas que son père les ait eues ainsi... » Vous voilà et déjà j'ai une Histoire, avec un grand H. Oui, grands-mères, vous nous êtes nécessaires.

Mais pour vous, la voie est étroite.

Que tu sois résolument calme, douce, discrète, avare en commentaires, conseils et souvenirs, ne les délivrant que parcimonieusement et à la demande, que tu sois surtout tolérante, et tu seras la bienvenue. Mais sache que ton rôle n'est pas l'éducation de ce petit qui vient de naître. Mes parents sont là pour ca. Même si leurs principes ne sont pas les tiens, même si cela t'apparaît de l'anti-éducation. Sinon, un conflit, même courtois, s'installera et, sans l'avoir seulement décidé consciemment, mes parents t'écarteront. Meurtrie, tu ressasseras tes différends avec ta belle-fille, ton gendre, mais cela ne fera qu'aggraver la tension. Ne crée pas ce climat. Qu'on ne me laisse pas pleurer comme tu l'aurais fait, qu'on me donne trop de sucre, ou pas assez, laisse mes parents faire, ils trouveront eux-mêmes le rythme, même si c'est un peu plus long, même s'ils finissent par adopter tes conseils.

Tu gardes le meilleur, la tendresse, la disponibilité. Car mes parents sont souvent énervés, bousculés par le rythme de la vie citadine, la contrainte de gagner l'argent nécessaire à la vie de famille. Ma mère surchargée, excédée, n'aura pas toujours le temps de me chanter « Frères Jacques », de me raconter « Boucle d'Or et les trois ours », de me faire les crêpes qui régalent, d'aller admirer les singes au zoo, ou chez le chausseur dénicher la paire de tennis qui épatera les copains. Sans compter bientôt les tables de multiplication qu'il faut revoir et le rendez-vous chez le dentiste à l'heure où maman travaille. Et puis, après une semaine bien chargée, mes parents auront de temps en temps besoin de se retrouver un peu seuls, sans se soucier de l'heure du biberon, du change, du bain, de la sortie, ou du passage de « Candie » sur le petit écran. Ils te confieront d'autant plus volontiers leur enfant qu'au fil de ces contacts nous aurons noué tous les deux une tendre complicité (sans rivalité) qui enrichira mon univers affectif... et te rajeunira !

Dans cette atmosphère détendue, je connaîtrai avec plaisir mes racines. Je découvrirai que mes parents ont une mère et un père, et comment c'était quand tu étais petite, au temps d'« autrefois », d'« à l'époque »... Je verrai les photos, les gravures, les villes, les villages où a grandi ma famille. Les métiers, petits et grands, des uns et des autres, de mon grand-oncle cafetier, et de l'autre commandant. Leurs chagrins et leurs bonheurs. Mes racines. Elles me sont nécessaires pour me comprendre moi-même, pour me situer. Je te dirai : « Raconte-moi une histoire de quand tu étais petite. » Et jamais une critique ne viendra des lèvres de mes parents puisque toi non plus, tu ne critiques pas. Parce que tu es la source de mon histoire, parce que la vie t'a appris à faire la part de l'accessoire et de l'essentiel, tu m'es nécessaire. Aussi, reste présente, même si tu es au bout du monde.

Par de petits mots, de petits présents, un coup de téléphone. Présente mais discrète. Sans chercher à faire prévaloir tes conceptions.

Noble mission, qui te demande beaucoup d'humilité puisqu'il faut renoncer aux sacro-saintes règles de puériculture et d'éducation que l'on t'a inculquées quand les tiens étaient petits. Mais si la résolution est fermement prise, la tendresse prendra vite le dessus sur la morale, pour ton bonheur, et pour le mien !

La crèche

DES BÉBÉS, EN SÉRIE

Jérôme

Nos mamies étant pour la plupart aujourd'hui jeunes et dynamiques, nous n'en profitons de toute façon que de temps en temps : petites semaines par-ci, par-là, volées à leur vie active.

Pour le quotidien de mes premières années, ce fut la crèche. Et les jours à la crèche se ressemblent beaucoup.

Je vais vous aider à les imaginer, vécus côté bébé.

Chaque matin, bien vite, ma mère me transporte dans le froid de la ville. Elle marmonne qu'elle est encore en retard…

Elle me « dépose » à la crèche en m'embrassant légèrement sur le bout du nez qui seul dépasse de mon « nid d'ange ».

Elle me « dépose » dans les bras d'une dame, et se sauve vite, vite, pour ne pas entendre mes pleurs. « Cela se calme, ne vous inquiétez pas, dès que vous êtes partie… » Oui, cela « se calme », je ne proteste plus. À quoi bon, une fois qu'Elle est partie ?

Maman, pourquoi me laisses-tu ? Reviendras-tu ? Les journées sont sans fin…

Je suis déshabillé, vite fait, on est nombreux à arriver, à cette heure d'ouverture des bureaux. Déshabillé, sans un mot, par des mains qui ne sont pas les tiennes. Je ne les reconnais pas. Sûrement des mains de « remplaçante ». De toute façon, elles changent souvent les mains qui me prennent, elles ont leurs congés, leurs horaires, leurs maladies… Mais toutes ont les mêmes gestes, professionnels, rapides, compétents.

« Allez, dans ton lit et dors un peu. »

Mais maman, où es-tu ? Reviendras-tu ?

Personne pour me parler de toi…

Dormir ? Comment, avec les autres qui crient, qui hurlent ? Sans doute ont-ils mal quelque part ? Peut-être aux oreilles ? J'ai tendu mes abdominaux et levé ma tête. Maman dit qu'elles sont gentilles, ces personnes qui s'occupent de nous. On a tous des rhumes, mais c'est propre et surveillé. Mon nez va un peu mieux d'ailleurs aujourd'hui. Voilà la blouse qui approche. Est-ce pour m'injecter un vaccin comme hier ? Ou pour me donner à manger ?

Maman, reviendras-tu ?

Je suis nettoyé, vigoureusement, silencieusement, professionnellement. Puis posé sur la balance, c'est dur, c'est froid. Enfin, elle me donne à manger bien mixé, bien homogène.

« Je ne sais pas pourquoi sa mère dit qu'il ne prend rien à la cuillère… Avec moi, il avale sans discuter ! Il est calme, ce petit-là. » « Tu sais, avec leur mère, ils font toujours des caprices… » répond l'autre jeune fille, qui enfourne la purée dans la bouche de Sébastien.

Des caprices avec ma mère ? Je lui dis, par mes pleurs, que je préfère encore téter, c'est vrai. Mais à quoi bon pleurer ici, avec ces personnes que je ne connais pas ? Alors, en effet, je suis sage…

Maman, quand reviendras-tu, que je puisse pleurer un bon coup, histoire de discuter ?

Retour au lit. Pourquoi ne m'a-t-elle pas gardé un peu sur ses genoux ? Comme elle l'a fait pour Mamadou ? À la crèche, elles disent toutes qu'il est drôle, avec sa peau d'ébène, ses cheveux crépus, ses yeux ronds comme de petites billes noires. Et elles se le passent de bras en bras. Puis, en général, on prend Christophe. Parce que lui, au contraire, il est tout pâle, tout chétif, le cheveu rare. Sa mère s'en occupe mal paraît-il. Elle est toujours la première à le déposer, et il n'a pas bu son biberon. « Elle vient encore avec un homme différent ! » À entendre comme elles le disent, cela ne doit pas être très bien. Alors, elles ont pris Christophe en affection et depuis qu'on le dorlote, il rigole... Moi, ce n'est pas pareil, je suis un petit garçon standard, comme la plupart des autres. Ni plus blond ni plus brun. Ma maman m'aime mais elle travaille. J'ai eu de la chance d'avoir une place en crèche, a-t-elle dit, « cela va habituer Jérôme à la vie en société ».

Mais moi, maman, je n'en veux pas pour l'instant de cette vie en société ! Ici je n'attends qu'une chose, c'est que tu apparaisses. Mais vas-tu apparaître ? Il y a une éternité que tu es partie... Qui suis-je ? Un petit garçon de quatre mois, seul et qui ne sait pas trop s'il existe, par qui et pour qui... Un petit garçon triste, qu'elles trouvent sage... sauf quand sa mère arrive !

Dr Edwige Antier

Comment décrire ainsi la vie en crèche quand on réclame à cor et à cri d'en construire encore et encore, car les places y sont insuffisantes !

Et puis, de toute façon, les mères sont obligées de travailler ! Mieux vaut ne pas les culpabiliser...

Le grand mot est encore lâché. Au nom duquel certains sujets ne doivent pas être abordés. Les pédiatres, les psychologues, les mères se taisent. Même lorsqu'elles ont le cœur lourd le matin, en « déposant bébé », même lorsqu'une voix intérieure leur dit non, elles se rassurent : si les pouvoirs publics construisent des crèches, claires, décorées, avec du personnel diplômé, une visite du pédiatre chaque semaine, et souvent du psychologue, c'est que leurs enfants sont bien gardés ! Et même celles qui n'arriveront pas à nouer un contact avec le personnel, celles dont le bébé ira de rhume en anorexie, celles-là surtout ne diront rien. Celles qui se réveillent peut-être la nuit en disant : « Je n'ai pas eu mon enfant dans mes bras, aujourd'hui. » Mais comment remettre en question tout un système ? Elles ont retenu la place avant même la naissance, alors qu'aucune possibilité pour élever leur enfant ne s'offre à elles. À moins de renoncer à travailler et de rentrer à la maison, sans horizon, sans ressources propres, la maison où aucun statut ne leur sera reconnu, la maison où « on ne fait rien », c'est bien connu, même si le soir on n'en peut plus... Non, renoncer à travailler c'est renoncer à leur dignité, à la sécurité pour demain, si le mari s'en va, s'il est au chômage. Ces renoncements-là, et c'est juste, il n'en est pas question. Donc au lever, retour à la case départ, la crèche. Et le dimanche, au milieu de la famille réunie, la mère soutiendra que la crèche est très bien. Pour que le jugement des autres n'aggrave pas son malaise secret. Chut.

Et l'on construit de plus en plus de crèches. Cela « fait social ». On aide la femme. La femme libre. Et on emploie des femmes puéricultrices qui encadrent le personnel... moins diplômé qui nurse. Bientôt, il y aura « suffisamment » de places. On aura construit, embauché, il faudra faire fonctionner, avec de gros budgets. Alors surtout, pas de remise en question du système. Venez, venez petits bébés de huit semaines, comme on dépose les poussins nouveau-nés dans les « couvoirs » des éleveurs. On fait des « bébés de batterie » comme les poulets. Mais attention ! Pédiatres et psychologues viennent régulièrement voir si le produit est conforme... Oui, on fait des nourrissons de batterie, je le dis parce que je suis pédiatre « de ville » et que je vois le comportement des bébés qui vont en crèche. Passons sur les rhino-pharyngites qui se compliquent d'otites et de bronchites ; et alors, où déposer « l'enfant-paquet » avec sa fièvre, ses pleurs, sa gêne respiratoire, celui dont on ne voudra pas ce jour-là à la crèche ? Passons sur les diarrhées que l'on se transmet gentiment de l'un à l'autre.

Parlons du plus important, de la détresse affective de ces bébés. Leur mère avec sa voix, sa manière, son odeur, s'en va brutalement, disparaît sans avoir prévenu, sans avoir expliqué, sans dire pourquoi, ni seulement si elle reviendra. Et les jeunes filles se soucient surtout de savoir si l'enfant a pris son biberon, doit être changé... Personne n'explique les raisons, la durée de l'absence. Alors qu'à quatre mois, on a déjà besoin que les choses soient dites. Certes on ne sait pas encore parler, pourtant, on engrange le ton qui rassure, qui sécurise.

De toute façon, il sera difficile à trouver, ce ton qui rassure, quand il s'agit d'une séparation éternelle. « Éternelle ? me direz-vous. Elle ne part que pour la journée ! » Vous, vous le savez. Mais pour un bébé, une journée n'a pas de fin. Plus il est jeune, plus le temps est long. (C'est pourquoi il est absurde, comme je le vois faire souvent, de mettre à trois mois son bébé en crèche, pour éviter qu'il connaisse l'angoisse de la séparation du neuvième mois... L'angoisse est encore plus aiguë quand il est petit, elle s'accompagne simplement d'un plus grand fatalisme.) Huit heures d'affilée à quatre mois, c'est une fin de non-retour. Le retour de la mère sera une surprise alors que le rideau de la solitude était tombé avec résignation.

« Le rideau de la solitude ? Avec tous ces bébés pour lui tenir compagnie ? Avec ces assistantes maternelles compétentes et dévouées ? »

Parlons de la compagnie des bébés entre eux : ils ne sont qu'un mobile de plus pour les uns et les autres.

Leurs jeux sont « parallèles ». Pendant la première année, un enfant se nourrit de ce que lui apporte l'adulte, tendresse, découvertes, intérêt ; et non de ce que lui apporte un autre bébé, qui peut au contraire l'angoisser par des pleurs soudains, stridents et prolongés.

Quant aux assistantes maternelles, il ne faut pas leur demander plus que tout être humain normal n'en peut donner. C'est déjà un grand dévouement de choisir ce métier d'amour, pourtant si peu considéré et si peu rémunéré. Mais l'amour que donnent les humains est toujours sélectif et répond à des raisons indéfinissables : tel enfant sera le préféré parce qu'il est beau, ou parce qu'il est gai, ou au contraire si triste…

Les parents, eux, voient bien sûr leur enfant avec les yeux du créateur et quel que soit son minois, son caractère auprès d'eux, un vrai capital d'amour lui est assuré. À la crèche, lieu de vie collective, l'injustice commence tout de suite. Comment réagir à quatre mois ? Par des pleurs, des insomnies, par des vomissements, un refus de manger ? Et la mère, fatiguée par sa journée au-dehors, le ménage à faire en rentrant, le repas à préparer, trouve un enfant nerveux, irritable, et « capricieux » qu'elle déposera finalement le lendemain avec un soulagement confus.

Non, me direz-vous encore ! Les crèches ne sont plus aussi déshumanisantes. C'est fini, ce temps-là. Maintenant, on est proche des parents, des enfants.

Vous croyez ? Je vous raconterai cette histoire : octobre 1982. La mère de Patricia est étudiante en médecine. Elle allaite la petite et voudrait continuer partiellement en reprenant ses stages, au mois de janvier. Elle devra être présente à l'hôpital le matin, mais pourra reprendre la petite à 14 heures.

— Non, lui dit la directrice de la crèche. À partir de 16 heures !

— Mais je pourrais lui donner une tétée à 14 heures…

— Vous ne viendrez pas avant 16 heures. C'est le

règlement. Si vous pouvez la reprendre plus tôt, c'est que vous n'avez pas besoin d'une place en crèche (sic).

Bien sûr, il y a des institutions plus personnalisées, plus souples, et tous les petits bébés des crèches ne sont pas aussi tristes que Jérôme. Rassurez-vous, le vôtre aujourd'hui y est peut-être heureux, c'est un enfant radieux, qui attire la sympathie d'une chaleureuse puéricultrice...

Mais d'une façon générale, l'éducation collective n'est pas la mieux adaptée pour la première année de ces enfants qui voient, entendent et ressentent différemment qu'on ne le pensait.

Il y a longtemps que le Dr Spock a tiré l'alarme (cf. Biblio 15) : en prenant l'exemple de pays où le système d'éducation a été étudié sur un long terme : les crèches d'Union soviétique et les kibboutzim israéliens (les kibboutzim sont des collectivités agricoles où les parents travaillent tous les deux et où les enfants sont placés dans des garderies, des jardins d'enfants ou des écoles, qu'ils ne quittent que le soir pour voir les parents, ou pendant le sabbat).

« En général, les autorités de ces deux pays se montrent satisfaites de ce système. Le personnel de ces crèches est composé d'un grand nombre d'assistants sélectionnés et formés au préalable.

« Mais les résultats de l'éducation en groupe pendant les trois premières années n'ont pas été assez spectaculaires pour ôter tout scepticisme aux spécialistes qui, comme moi, ont pour les enfants de hautes aspirations et, contre ce type d'éducation, de solides préjugés hérités du passé. Cependant, il faut reconnaître que le recrutement des assistants en Union soviétique et en Israël s'effectue de manière plus satisfaisante qu'ailleurs.

« L'éducation de groupe dans les kibboutzim a eu de profondes répercussions sur la personnalité des enfants. Les plus âgés des émigrants d'Europe étaient du genre philosophe, imaginatif et sociable, avec un sens de l'humour frisant l'autodérision et un sentiment très profond de communauté et d'appartenance à leurs proches. L'enfant ou le nouveau-né élevé au kibboutz se montre beaucoup plus terre-à-terre, très pragmatique, coopératif, conscient de ses devoirs de citoyen, difficile à approcher et même parfois très sec avec les étrangers. Les résultats obtenus par les élèves des kibboutzim approchent presque tous de la moyenne par rapport à l'ensemble de la population scolaire d'Israël. En revanche, les enfants élevés individuellement occupent soit les premières, soit les dernières places ; tout dépend de l'ambiance du foyer familial. À mon avis, les liens affectifs étroits qui existent entre les membres d'une famille où règne une bonne entente doivent stimuler avec beaucoup de vigueur l'évolution mentale et émotionnelle de l'enfant.

« Pour l'Union soviétique, je ne dispose pas de données très précises, mais je sais que les responsables de l'éducation et des centres de psychologie ont toujours été très fiers de leur système de garderies et de crèches pour nouveau-nés et enfants en bas âge. Il est assez symptomatique de voir aujourd'hui les Russes mettre l'accent sur l'importance des liens familiaux pour l'évolution harmonieuse de la personnalité, et admettre que les enfants élevés dans les crèches courent le risque d'un "manque de stimulation psychologique" et d'une "évolution trop lente ou à sens unique".

« Les responsables soviétiques se posent la question de savoir s'ils ne devraient pas aller au-delà de ce système qui vise principalement à former des citoyens conscients de leurs devoirs, ou même le revoir complètement. Ils insistent aujourd'hui sur la nécessité de privilégier chez l'individu ses qualités bien spécifiques afin qu'il puisse apporter à la société "une contribution originale ou même révolutionnaire". Personnellement, j'interprète ces déclarations des responsables soviétiques comme un désaveu implicite de l'éducation de groupe pratiquée durant les premières années.

« Aussi suis-je fort perplexe quant à l'opportunité de placer les enfants de moins de trois ans dans des crèches. Même en ayant une infrastructure valable et un personnel qualifié, stable et vraiment attentionné, nous aurions des enfants d'un niveau intellectuel moyen. Je doute que les jeunes idéalistes qui prônent l'extension des crèches se satisfassent d'un résultat "moyen". »

Ainsi, puisqu'il est établi que jusqu'à l'âge de trois ans, l'amour maternel prodigué aux enfants doit être dévoué, omniprésent, et individualisé, que peuvent faire les jeunes parents qui travaillent ?

Si nous ne voulons pas avoir des « enfants de batterie » comme les poulets comment faire alors ? Rester à la maison ?

Cela veut-il dire que les femmes doivent rester à la maison pour élever leur enfant, renoncer à toute carrière, ou s'en éloigner rongées de culpabilité ? Dans nos villes modernes, nos familles modernes, vivre chez soi avec un petit enfant pour unique partenaire est-ce supportable ?

Jérôme

Mardi, je ne suis pas allé à la crèche. Tante Rosalie m'a gardé chez elle car « Rosalie ne travaille pas, dit fièrement son mari, elle s'occupe du petit ». Le petit, c'est mon cousin Bertrand.

Eh bien, tante Rosalie, cela se voit même si elle ne sait pas comment le dire à son mari, tante Rosalie est fatiguée. Une curieuse fatigue, plutôt une « déprime ». Oui, une déprime. Et je vais vous dire, lorsqu'on s'occupe seule toute la journée d'un petit comme Bertrand qui a un an, l'esprit ne peut plus penser ; ne peut plus lire. Ce gosse ne la lâche pas d'une semelle, il se précipite à quatre pattes sur les prises de courant, les plantes vertes, se hisse jusqu'aux boutons de la télévision. Moi, ça me fait rire, mais ma tante tourne en rond derrière lui pour retenir sa main, pour calmer ses pleurs. Il ne lui laisse pas une minute de répit. Et quand enfin il dort, la voilà qui range le linge, et les jouets, prépare le repas. Elle n'écoute pas de musique, il se réveillerait. Puis elle part faire les courses avec nous, porte les paquets, le tient au milieu des passants car la poussette n'a pas sa place sur les trottoirs étroits, dans les files d'attente… Regardez-la, elle exporte sa solitude dehors tout simplement et elle fait prendre l'air aux enfants.

« Qu'as-tu fait cet après-midi ? Tu t'es promenée ? » demande mon oncle François.

Oui, elle s'est promenée, Rosalie, avec les petits. Au jardin public. « Défense de marcher sur les pelouses », allez lui faire comprendre à Bertrand que les carrés d'herbe verte ne sont pas pour lui… Alors tante Rosalie presse le pas, pour éviter les réflexions des gardiens, évite d'approcher des pelouses, serre bien la petite main qui voudrait s'échapper. Elle s'assoit près du tas de sable, sable des villes, gris, douteux. Quelques enfants jouent, gênés par leurs gros blousons. Tante Rosalie regarde. Depuis ce matin, elle n'a parlé à personne. D'autres mères sont là, l'une tricote, l'autre lit, on se parle si peu, dans les grandes villes… Bertrand pleure, nous rentrons…

Dr Edwige Antier

Bienheureuse encore Rosalie qui a un jardin public près de chez elle. C'est loin d'être toujours le cas.

Comme en témoignait Françoise Giroud (cf. Biblio 6) « Quand les immeubles d'habitation de Maine-Montparnasse ont été construits, en même temps que la nouvelle gare, sur un terrain de la ville, l'accord entre les parties prévoyait l'édification d'un jardin pour que les enfants puissent y jouer, s'y promener. Il n'y a pas de jardin. La Ville de Paris doit en assurer le financement. Le conseil trouve maintenant que c'est trop cher. »

Quelquefois, j'ai envie de faire des badges que les enfants porteraient et où on lirait : « Je joue dans la rue parce qu'il faut payer Concorde. »

L'enfant n'a pas de place dans la ville, il n'est pas à la mode.

Jérôme

— Te rends-tu compte de la chance que tu as de pouvoir te promener quand les autres travaillent ? s'est exclamé mon oncle.

— Pourtant, je me sens bien lasse...

— Lasse ? C'est que tu es malade. Nous allons demander des fortifiants à ton médecin.

Dr Edwige Antier

Le seul fortifiant serait de parler, de rire, de sortir de votre solitude à deux, dans la grande ville. La femme au foyer, la gardienne d'enfants sont seules dans les grandes cités d'aujourd'hui. Seules avec des tâches ménagères, soins d'un enfant qui vous hache la pensée vingt-quatre heures sur vingt-quatre. Car ses pleurs, ses besoins, ses « bêtises » font irruption dans votre vie intérieure aux moments les plus soudains. Il n'y a plus de pensée suivie, plus de conversations d'adultes. Le seul souci dès lors devient de savoir si le ménage est correctement fait (mais cela ne se verra pas ou alors pour combien de temps...), si l'enfant dit un mot nouveau, fait un nouveau pas...

Et le soir, souvent, quand la mère aura terminé sa journée, le dîner prêt, le petit couché, le mari se plongera dans son journal car elle a si peu de choses à dire...

Quelle femme, qui, aujourd'hui, a reçu une formation secondaire, souvent universitaire, égale à celle de l'homme, avec les mêmes performances, supportera cette solitude morale, ce surmenage dans le « rien à faire » d'apparent, sans s'en trouver déprimée ?

Alors, mettre le bébé en pension (la crèche tient plus d'une pension que d'une maison...) ou la mère en prison (seule dans l'appartement d'une cité où l'enfant est interdit) ?

La solution est ailleurs et paraît tellement évidente :

tout d'abord la mère doit garder son emploi. Mais il faut en aménager les horaires. (Et à l'heure où l'on parle de leur réduction, il semblerait plus judicieux d'attribuer cette réduction au parent qui s'occupe d'un enfant.) Aménager les horaires pour que le temps de séparation de la mère et de l'enfant soit d'autant plus court qu'il est jeune. Et si possible, pendant ce temps, le confier à une femme de cœur.

La nourrice d'Anaïs

Jérôme

J'ai une nourrice, m'a dit ma cousine Anaïs,
Une nourrice agréable à défaut d'agréée
Chaleureuse et bavarde
Sa maman s'assoit :
— Est-ce qu'elle a pleuré aujourd'hui ?
— Non, mais c'est une coquine :
Elle a renversé la boîte de boutons
Et tiré la queue du chat
Et ri avec mon mari
Qui lui a fait un cerf-volant.
Ma petite Annie est rentrée de l'école,
A récité ses tables,
La petite voulait en dire autant
Oui, madame, c'est une coquine.
Ron ron ron, elles papotent ;
Maman et la nourrice
La nourrice et maman
Et Anaïs joue
Et l'univers ici lui est familier
Sa mère en fait partie.
Puisqu'elle s'assoit sur ce fauteuil.
Tous les jours,

Anaïs regarde ce fauteuil
Et elle sait que maman va revenir.

Dr Edwige Antier

Est-ce à dire qu'une nourrice vaut mieux qu'une place à la crèche ? Pas forcément, bien sûr. Car j'ai vu malheureusement de ces nourrices qui partent faire quelques courses en laissant le petit affolé derrière la porte... D'autres chez qui le bébé passera la journée attaché à son « relax » pour qu'elles puissent faire leur ménage, la cuisine... Combien se plaignent qu'il a trop dormi chez lui et ne dort plus chez elles (on est bien tranquille quand il dort...).

Il est difficile d'être disponible pour l'enfant des autres, celui que vous n'avez pas mis au monde, celui que vous ne verrez pas longtemps grandir, et qui vous oubliera... Aujourd'hui, les mauvais traitements infligés aux enfants ne sont plus des châtiments corporels. Ce sont des mauvais traitements par abstention ; abstention d'attention, abstention de jeux, de parole, de temps « perdu » avec l'enfant. Parce que les adultes d'aujourd'hui n'ont pas de temps « à perdre ». Certes, pour vous aider à choisir une nourrice, les services publics ont créé « l'agrément ». Mais c'est le cœur qui devrait être agréé, plus que la surface du logement, son ensoleillement ou son aération... J'ai connu des enfants très heureux chez de braves femmes petitement logées et d'autres bien tristes dans des appartements spacieux. Ne vous démettez pas sans cesse de vos responsabilités de parents sur les services publics. Ils ont leurs limites. Vous qui voyez votre enfant chaque jour, qui pouvez arriver à l'improviste chez la nourrice, bavarder avec elle, vous sentirez mieux que personne si elle est « bonne » ou non. Si certaines choses vous choquent, et même si elle est agréée, réputée, et sûre d'elle, vous, les parents, suivez votre sentiment.

Une bonne nourrice qui aime s'occuper de l'enfant

sans chercher à rivaliser avec sa mère (toutes deux sont complémentaires) est certainement idéale. Son univers reproduit le cadre familial : elle a une vraie cuisine, où il ne faut pas toucher aux casseroles ; un mari, une fille, un chat, une vie domestique. Le cadre naturel, toujours le même ; c'est toujours elle qui habille et nourrit votre enfant. Elle en est personnellement responsable devant vous.

Et lorsqu'on habite Paris, on peut aller passer quelques heures avec le bébé, maman ou papa, ou mamie ou la nourrice dans ces lieux de rencontre comme la « maison verte » de Françoise Dolto. Là, les enfants apprennent tranquillement la société des autres, en toute sérénité, sans quitter les bras rassurants de ses familiers. Les parents, les nourrices viennent, s'assoient, bavardent ; on se connaît, on se retrouve. Les petits jouent et écoutent, écoutent et jouent. Bien sûr, on parle d'eux, surtout d'eux, on parle d'amour.

Nourrice de cœur, maisons communes accueillantes dans la ville, voilà l'idéal qui concilie vie active et amour d'un enfant. Et surtout, horaires souples pour maman...

Horaires souples pour maman

Jérôme

Horaires souples pour maman ? Ou papa si c'est lui qui veut s'occuper de moi ?

Vous plaisantez ! a-t-on répondu. Les employeurs ne marcheront pas ! Et votre femme n'aura pas de postes intéressants, de carrière possible ! Et alors, c'est logique, maman a continué sa vie écartelée :

Maman travaille. Le bureau, la machine, le patron, la pendule. La liberté, les autres. Mais surtout, la dignité. Maman travaille pour la dignité. Ne pas demander d'argent. Être capable de quelque chose de reconnu, de quantifiable, de monnayable. Un emploi sûr, le plus sûr possible. Parce que demain, après-demain, si papa perdait son poste, ou s'il partait ? Le chômage, le divorce, c'est dans tous les journaux, dans tous les foyers… Maman travaille.

Et puis le ventre de maman s'est arrondi. C'était moi pour bientôt, quelle tendresse… Le ventre rond. « Pardon Madame, asseyez-vous, voilà ma place. » Son accouchement ? Gratuit. Et surveillé. Merci.

Deux mois à la maison, pour s'habituer ; je suis fragile, elle devient habile.

Mais ventre plat, retour à la case départ. Elle « est trois » maintenant, c'est invisible, qui s'en soucie ?

— Vous êtes en retard ce matin !

— Excusez-moi, c'est Jérôme qui pleurait...

— Votre bébé ? Ce n'est pas mon problème !

Vite, vite.

Le sein, les câlins, les sourires, les berceuses, c'est fini.

Vite, vite.

Dr Edwige Antier

Inévitable ? C'est faux, faux, faux.

Les exemples se multiplient où les horaires à la carte sont proposés dans de nombreuses entreprises et les femmes se précipitent. En améliorant leur efficacité au travail !

À la Sonofram, elles alternent des petites et grandes semaines. L'absentéisme a diminué. Il est inexistant aux établissements Cuvelier où les horaires sont totalement libres. Les établissements Albert ont organisé le mi-temps en équipe pour quatorze femmes. La société n'y perd pas. Les laboratoires Laphal proposent un horaire à la carte, aux Galeries Lafayette règne le temps partiel. Aux Mutuelles unies, on peut prendre un jour de travail à domicile par semaine ! En gardant tous les avantages du personnel à temps complet. Chez Unitel, on peut ne pas travailler le mercredi après-midi... « Cet aménagement du temps s'adresse finalement, conclut un grand magazine féminin, à tous ceux qui prennent conscience de ce réel problème, les "nouveaux parents" pour qui l'éducation des enfants est devenue une tâche hautement valorisée. »

Mais il y a mieux.

Venez, mes amies, venez avec moi au Pays des merveilles.

Il y a là-bas des femmes qui, dès lors qu'elles accouchent, ont un congé payé de six mois. Six mois à la maison. Six mois pour allaiter, se reposer, s'organiser, faire connaissance avec leur nouveau monde à trois.

Et puis, si elles veulent et seulement si elles le veulent, elles peuvent rester chez elles pendant trois ans, jusqu'à ce que l'enfant aille à l'école. Elles perçoivent un salaire.

Elles retrouvent leur emploi, à la même place, et alors peuvent adapter leurs horaires, pour être là quand les enfants sortent de l'école. Dans ce pays-là, lorsqu'on a réduit les horaires de travail, ce fut en priorité pour les mères (ou les pères) qui avaient la charge d'un enfant. Celles-là mêmes qui peinent chez nous cinq à six heures de plus chaque jour...

« Mais ce pays doit être très riche ! Chez nous c'est impossible ! En plus, avec la crise !... Pensez donc ! »

Eh bien, ce pays, ces pays existent ! (cf. Biblio 13). La Suède, le pays où l'on allaite le plus, où les nouveau-nés meurent le moins, où les adultes vivent le plus vieux, la Suède comme la Finlande, pays moins riche mais généreux, octroient deux ans de congé maternel payé et la Hongrie de même. En Tchécoslovaquie, le congé payé est de trois ans ! Dans ces pays-là, on respecte les enfants. Et l'envie de leur mère de rester un peu avec eux !

Notre pays à nous, Alice, ne se considère pas assez riche pour permettre aux mères de mieux élever leur enfant tout en conservant leur profession. Il est riche pour autre chose...

Notre pays est riche pour subventionner les crèches qui gardent les bébés dont les mères travaillent vite, vite, pour conserver leur emploi.

Riche pour payer les hôpitaux où traînent un tiers des enfants qui pourraient sortir plus tôt si maman était à la maison.

Riche pour payer les écoles maternelles formant tant bien que mal le crâne des petits encore en friche, qui ne parlent pas encore, ne sont pas encore propres et n'ont pas appris les couleurs pendant que leurs petits amis japonais, à trois ans, jouent avec des ordinateurs.

Riche pour payer des orthophonistes qui corrigent les dyslexies et les retards de langage.

Riche pour payer les enseignants qui devront faire revoir et revoir les tables que maman ne peut faire réciter à la maison, elle a si peu de temps.

Riche pour payer les professeurs en congé pour déprime. Ils n'ont aucune autorité sur des enfants qui constituent des bandes dehors en attendant que les parents rentrent à la maison, la nuit tombée. Ou ingurgitent des heures de « disco » à s'en crever les tympans, pour oublier leur solitude et le contact perdu depuis longtemps, le dialogue jamais appris avec l'adulte.

Riche pour payer encore les hôpitaux, les dispensaires qui tentent de sevrer nos adolescents de la drogue prise en cachette, puis sans se cacher.

Pour « îloter » les quartiers, afin de protéger ceux qui rentrent le soir, fatigués. Les protéger des petits délinquants qui « s'éclatent » dans les deux sens du terme, avec leurs motos. Car « s'éclater », être détruit complètement, est devenu aujourd'hui synonyme du comble du bonheur !

Riche pour des enfants sans câlins.

Maintenant, vous saurez…

Jérôme

Mais aujourd'hui, vous les mamans, après avoir lu mon histoire, vous serez différentes avec votre bébé ! Parce que vous saurez…

Parce que vous saurez qu'il vous voit, votre enfant, votre amour, vous le regarderez, naturellement. Vous vous laisserez aller à ce regard de tendresse qui vous vient spontanément et que jusque-là vous trouviez ridicule. Parce que vous croyiez qu'il naissait aveugle.

Parce que vous saurez que depuis longtemps, dans votre ventre déjà, il a appris à connaître votre voix, vous lui parlerez à lui tout seul. Vous lui raconterez de petites histoires, et aussi votre amour pour son père. Vous lui direz pourquoi vous l'avez voulu, pourquoi vous avez peur quelquefois de ne pas bien savoir ce qu'il lui faut.

Parce que vous saurez que le rythme de votre cœur lui est familier, vous le garderez un peu près de vous, parce que vous saurez que votre pas lui est familier, vous le promènerez contre vous.

Parce que vous saurez qu'à trois jours déjà, il vous connaît et vous reconnaît, il vous aime et vous hume, parce que vous le saurez, vous ne changerez pas brutalement de parfum, vous ne croirez pas supérieure l'odeur du verre, du caoutchouc et d'une blouse étrangère. Vous le garderez, lové contre votre peau nue.

Parce que vous saurez que d'instinct il ne demande qu'à être propre, vous ne le contre-éduquerez pas en le laissant grandir au-delà d'un an dans des couches humides. Pour exiger soudain, parce que l'entrée à la maternelle se profile, qu'il se préfère sec !

Parce que vous saurez qu'avant même de naître, il a reconnu son père, par le timbre de sa voix, par ses mains sur votre ventre rond, vous laisserez l'homme prendre l'enfant contre lui, et jouer sans le dire maladroit.

Parce que vous saurez qu'aussitôt né il savoure, découvre et déguste, vous ne croirez pas meilleur un lait industriel, monotone, au goût constant pendant des mois. Quand le vôtre au contraire transmet la cerise et le chou, le thym et le fenouil, les saveurs de la vie.

Parce que vous saurez que le lait de votre sein fait couler votre vie en lui, vous le lui donnerez avec douceur et vous vous fondrez ensemble, en continuité d'être à être. Il s'en détachera, tout seul, lorsque, gavé de chaude sécurité, il voudra découvrir le fondant et le croquant. Le bénéfice des anticorps, à ce niveau, vous paraîtra bien secondaire…

Parce que vous saurez que pour exister, il lui faut des racines, vous lui ferez connaître ses grands-mères. Mais vous donnerez à lire ma lettre aux « mamies » pour qu'elles évitent critiques et morale et emplissent leur cœur de belles histoires. Les histoires de ses parents, de ses grands-parents, son histoire qui fait partie de l'histoire du monde.

Parce que vous saurez que pour lui aussi multitude est solitude, vous lui choisirez une nourrice chaleureuse avec laquelle il deviendra familier. Et vous unirez vos efforts, entre vous, parents, pour qu'on laisse aux mères qui forgent les adultes de demain une souplesse indispensable dans leurs horaires de travail.

Vous respecterez votre enfant d'emblée, sans attendre qu'il ait « l'âge de raison » (ou âge de résignation ?). Vous lui expliquerez, vous lui raconterez ce qui lui arrive, quand il fait beau et quand il pleut, quand vous êtes gaies à la maison et quand vous êtes tristes, quand sa sœur va venir ou quand papa s'en va, et pourquoi vous pleurez. Vous lui raconterez parce qu'il vous comprend, même s'il n'a pas encore de langage par la bouche.

Alors de cette solide estrade d'amour que vous lui aurez faite chaque jour, il s'envolera vers les richesses du monde. Vous les lui ferez découvrir, sans lui en cacher aucune, « parce qu'il est trop petit ».

D'emblée respecté et compris, gavé d'amour, il s'épanouira dans un formidable sourire, passionné et triomphant.

10 JOURS OU 10 MOIS ?

LE PETIT GUIDE POUR UN ALLAITEMENT À LA CARTE

Vous pouvez vous offrir le plaisir d'un allaitement très court. Cette bonne surprise vous décide presque toutes. Car l'important, c'est de ne pas vous sentir piégée. Je vais vous montrer comment nourrir bébé à la carte. Et bien souvent, vous y prendrez goût et prolongerez en toute sérénité…

Le choix

Une jeune femme qui vient d'accoucher décide de nourrir son enfant au sein ou au biberon avec des arguments tranquilles presque toujours identiques :

— je l'allaite parce qu'il a besoin d'anticorps ;

— ou bien je lui donne le biberon parce que j'ai besoin d'une certaine liberté.

Mais lors des consultations suivantes, des regrets apparaissent souvent chez celles qui n'ont pas allaité, ou à l'opposé un désarroi se manifeste chez les mères qui donnent le sein sans avoir été préparées.

Il faut donc bien étudier vos raisons pour le sein ou pour le biberon.

Il est vrai que le lait maternel :

— protège contre les infections ;

— protège contre les diarrhées ;

— est mieux adapté au développement du cerveau humain ;

— contient des graisses dénaturées moins nocives pour les artères que celles du lait de vache ;

— contient du fer « mieux absorbable » ;

— donne peu de travail au rein car il est peu salé ;

— est toujours à bonne température (26°) ;

— est tout de suite prêt. Le nourrisson n'a pas à attendre sa préparation ;
— est adapté à l'enfant selon son terme, l'heure de la journée, le début ou la fin de la tétée ;
— reproduit le goût des aliments et prépare l'enfant à aimer tous les mets familiaux ;
— permet à l'enfant de reconnaître sa mère au goût et à l'odeur dès le troisième jour ;
— est une substance vivante impossible à fabriquer chimiquement ;
— est spécifique de la race humaine. Le bébé ne peut pas être allergique à ses constituants ;
— est entièrement suffisant pour le développement de l'enfant jusqu'à six mois.

Il est faux que le lait maternel :

— est mauvais s'il est clair comme de l'eau ;
— n'est pas un aliment complet et suffisant après trois mois.

Il est faux que :

— l'allaitement court est impossible ;
— l'allaitement déforme les seins ;
— la plupart des femmes n'ont pas assez de lait ;
— les laits maternisés ont la même constitution que le lait de femme ;
— les petits seins ne permettent pas d'allaiter ;
— les bouts de sein courts ne permettent pas d'allaiter.

Il est faux que :

— si vous avez raté un premier allaitement, vous raterez le second ;
— les crevasses sont inévitables ;
— vous ne pouvez pas allaiter après une césarienne ;

— vous ne pouvez pas allaiter si votre enfant est transféré loin de vous ;

— vous ne pouvez pas allaiter si vous avez de la fièvre ;

— le lait maternel est moins bénéfique que le lait industriel car il contient plus de dioxine. L'avantage de ses caractéristiques spécifiquement humaines l'emporte de loin sur les inconvénients — non démontrés — de la dioxine. Ce qui n'empêche pas qu'il faille faire des efforts contre la pollution de notre environnement.

Votre lait apporte donc à votre enfant les constituants nutritifs les mieux adaptés à son développement, en particulier cérébral. Ses protéines sont spécifiques de la race humaine, non allergisantes. C'est une substance vivante riche en anticorps et en cellules immunocompétentes qui le protègent contre les infections et les diarrhées, si dangereuses les premières semaines. C'est une substance naturelle, toujours à bonne température, qui le prépare aux goûts variés de la vie. L'allaitement permet un tendre corps à corps qui vous met dans une bonne relation immédiate, votre bébé et vous. Son père y participe en vous couvant de sa chaude protection et en assurant un climat de détente dans son foyer.

C'est pourquoi…

Les seules vraies raisons pour préférer le biberon

1) Vous n'avez physiquement pas envie d'allaiter.

2) Votre mari est contre, même pour une courte période, et même après avoir lu ce livre.

En effet, le plus important est de prendre ensemble, le père de votre enfant et vous, votre décision. Car un allaitement se réussit à deux. Si vous prenez votre décision seule, votre mari — même s'il est particulièrement tolérant — se sentira vite « non concerné », puis « exclu ». Et même s'il n'ose pas vous le dire, il ira au cinéma. Alors vous choisirez une « fausse raison » pour arrêter. Vous direz à ceux que cela ne regarde pas « je ne le nourris pas au sein parce que je vais retravailler », ou « parce que j'ai peur d'être trop occupée », même si vous connaissez les solutions. En fait, vous aurez pris votre décision parce que votre mari « n'est pas chaud », vous l'aurez prise pour sauver à juste titre l'équilibre de votre couple. Avant le jour J, pendant votre grossesse, il faut qu'il lise ce guide. Ainsi il saura :

— qu'il peut s'occuper de son enfant par bien d'autres soins que le biberon ;

— que votre lait lui est bénéfique ;
— que vous pouvez alterner sein et biberon dès les premiers jours et n'allaiter que 10 jours ;
— que si, les premières semaines, bébé pleure parfois de façon anarchique, cela est transitoire et ne remet pas en cause les bienfaits de votre lait ;
— que vous pourrez très vite vous libérer de temps à autre, dîner en tête-à-tête ;
— et que vous resterez belle pour lui ;
— que votre poitrine n'en souffrira pas, au contraire ;
— que vous ne l'en aimerez pas moins, peut-être plus.

Mais si, sachant tout cela, votre mari n'a vraiment pas envie que vous donniez le sein au bébé, alors je crois qu'il vaut mieux ne pas aller contre ses sentiments. Car votre enfant a autant besoin d'une bonne harmonie entre ses parents, personne ne se sentant exclu, que de votre lait.

Bien souvent, enfin, vous restez tous deux indécis jusqu'au dernier moment. Alors attendez d'avoir bébé dans vos bras, et même qu'il prenne une ou deux tétées, pour décider. Il est toujours temps, après 24 heures et même 48 heures, d'arrêter votre montée laiteuse.

Combien de temps allaiter ?

Vous avez décidé d'allaiter. Toute la question est maintenant de « nourrir de plaisir ».

Donnez-lui sa première tétée dès la première heure.

Il est idéal de laisser téter l'enfant dès les premières heures qui suivent l'accouchement. Cette tétée précoce lui est bénéfique, induit la montée laiteuse, et entraîne une décharge d'hormone ocytocine. Cette hormone favorise la contraction des cellules du sein, qui éliminent ainsi mieux le lait et ne s'engorgeront pas dans les jours qui suivent.

Pensez qu'en l'an VII de la République (1800), l'Allemand J.P. Franck, dans son *Traité sur la manière d'élever les enfants*, écrivait déjà : « Il demeure constant qu'en considérant les avantages de la présentation des seins faite de bonne heure, la méthode qui veut qu'on allaite l'enfant aussitôt que la mère aura reposé pendant quelques heures, et aura pris un bouillon, est sans contredit la meilleure et la mieux fondée sur la raison. On prévient par là non seulement la fièvre de lait, mais on s'oppose encore à la trop grande tension des seins. »

Il ne faut pas forcer le bébé en lui poussant la tête sur le sein, cela le rebuterait. Il est préférable de le laisser chercher tout seul. Certains nouveau-nés sont un peu moins affamés que d'autres. En général, dans les six premières heures, un bébé a une forte envie de téter. Ensuite, il sera beaucoup plus endormi.

Puis allaitez une semaine ou un an... à vous de choisir !

Vous pouvez donner le sein le temps que vous voulez. Entendu. Mais qu'est-ce qui est meilleur pour l'enfant ?

— Si vous le nourrissez *six semaines*, vous lui aurez déjà évité les diarrhées du premier âge, parfois si difficiles à guérir. C'est un bon atout pour lui.

— Si vous poursuivez *trois mois* avec seulement votre lait, sans aliment étranger, ce sera une meilleure prévention contre les maladies respiratoires, rhino-pharyngites, bronchites, otites...

Mais si tout en allaitant vous vivez heureuse, et en bonne harmonie avec son père, vous pourrez continuer *six mois* et plus.

« Combien de temps au plus ? Mon seul lait ne peut tout de même pas suffire après trois mois, il viendra bien un moment où il faudra apporter d'autres aliments ? »

Après trois mois ? Votre lait suffira parfaitement. Actuellement, on considère comme idéal un allaitement complet jusqu'à six mois. Jusqu'à la date moyenne d'apparition, justement, des premières dents. C'est le signal qu'il faut diversifier.

Beaucoup de Nordiques nourrissent ainsi leurs nouveau-nés jusqu'à ce qu'ils soient capables de prendre tout seuls et de porter à la bouche une croûte de pain, un biscuit, c'est-à-dire entre cinq et six mois. L'âge moyen d'apparition des dents représente le signal de la nature : il peut prendre un morceau de pain et le porter à la bouche, les gencives sont gonflées, un biscuit le calme, on peut diversifier.

« Donc, on arrête l'allaitement à six mois ? » Il n'y a pas de règle. On peut continuer à donner une tétée le matin et une tétée le soir, et même une l'après-midi, jusqu'à neuf mois, un an, par exemple. C'est excellent.

« Au sein, à neuf mois, un an ? »

Cela peut paraître ridicule en France aujourd'hui. Mais savez-vous combien de temps l'on préconisait d'allaiter au siècle dernier ? Jusqu'à ce que l'enfant ait seize dents, c'est-à-dire vers deux ans… C'était la durée considérée comme minimum. On espérait des allaitements beaucoup plus longs.

Le Dr Parrot (cf. Biblio 12) écrivait : « La durée de l'allaitement n'a pas de limite. Chez les femmes saines, la prolongation de l'allaitement ne paraît produire aucune fatigue et aucun trouble de la santé.

Durée moyenne en 1900
En France, deux ans
Au Japon, cinq à six ans
Aux îles Carolines, dix ans

Chez les Esquimaux, il n'est pas rare de voir une femme donner le sein à des enfants de quinze ans. »

Et Grancher (cf. Biblio 7) confirmait au début du siècle : « Quand la mère est vigoureuse et saine, la durée de l'allaitement doit être longue. Il y a tout avantage pour l'enfant à téter le plus souvent possible quand on a soin en temps opportun de lui donner une alimentation complémentaire. Les enfants les plus beaux, les plus sains, les plus doués au point de vue de l'estomac et du développement futur sont ceux qui ont tété le plus longtemps. L'allaitement prolongé jusqu'à deux, trois, quatre ans, est très répandu chez les Africaines et les Asiatiques.

« Au Japon, les enfants tètent jusqu'à quatre ans, et, la mortalité infantile est moindre que chez nous. Sur

1 000 enfants, 276 meurent avant l'âge de cinq ans au Japon, et 341 en France. » (C'était en 1900.)

Vogel racontait aussi à ses élèves l'histoire d'une dame qui redoutait beaucoup l'époque du sevrage pour son fils. Elle continua de l'allaiter et vers l'âge de trois ans, ce fut celui-ci qui dit un jour : « Chère maman, ma foi je n'en veux plus. »

Ces anecdotes, pour inapplicables qu'elles soient aujourd'hui, ont l'avantage de vous montrer que le lait maternel ne devient pas nocif pour l'enfant. C'est ainsi que dans les pays où règne la famine, tant que le petit est au sein, il est bien portant. C'est après le sevrage, dans la deuxième ou la troisième année qu'apparaît la dénutrition de l'enfant, le fameux Kwashiorkor.

Le lait maternel est donc un aliment très complet qui peut suffire au moins pendant toute la première année. Mais, bien sûr, nous ne sommes pas en Afrique, et nous ne sommes pas en 1900. Vous ne sortirez pas comme ça, nous l'avons vu, votre sein dans le métro, au bureau et au cinéma, pour le donner où que vous soyez à votre petit. Votre vie sera donc changée par le fait d'allaiter. C'est toute la différence avec ces pays-là. Ce qui est le plus important, c'est d'être bien avec son enfant.

Je vous conseille de commencer et de voir venir. Pourquoi se fixer une durée d'emblée ? Vous ne pouvez pas savoir comment se comportera votre bébé, plus ou moins satisfaisant, apaisant, gratifiant ; comment réagira votre mari, votre entourage, protecteur, ou bien indifférent, ou même réticent ; comment vous vous adapterez, comment vous vous organiserez... Alors mettez votre nouveau-né au sein sans trop vous poser la question : « Pour combien de temps ? » Et vous verrez bien.

« Mais pourquoi commencer si cela ne doit durer que huit jours ? »

Allaiter seulement une semaine ne présente aucun inconvénient. Au contraire, pour votre nouveau-né, les premières gouttes de colostrum sont très bénéfiques, même si on doit en rester là. Il sera protégé contre les microbes qui, inévitablement, l'entourent. Lorsque vous voudrez arrêter, il suffira de remplacer quelques tétées par autant de biberons pour que votre lait se tarisse vite. Vous aurez eu ce premier contact avec votre enfant, et si vous avez renoncé, ce sera en toute connaissance de cause. Il est discutable de décider à l'avance de ne pas allaiter, c'est-à-dire de refuser ce que l'on ne connaît pas, ou du moins ce que l'on ne connaît que par un ouï-dire subjectif. D'autant plus que chaque femme est différente, et que, pour chaque femme, l'allaitement est une aventure différente.

Mettez cet allaitement en route, et arrêtez-le dans huit jours, dans six semaines, dans trois mois, dans six mois, bref quand vous le déciderez.

Comment avoir du lait ?

C'est votre enfant qui fait venir le lait

En suçant le mamelon, il induit une production et une décharge de l'hormone prolactine. Celle-ci stimule les cellules de la glande mammaire pour fabriquer le lait.

Allaitez à la demande

Chaque succion du mamelon augmente la production de prolactine. Le taux sanguin de cette hormone est plus élevé chez les femmes qui allaitent à la demande que chez celles qui allaitent à heure fixe.

Mais presque toutes les mères sont inquiètes le deuxième jour, car en effet, les six premières heures passées, le nouveau-né tombe souvent dans une sorte de léthargie. Il a alors peu de besoins. Mais faites-lui confiance, il réclamera quand il le faudra, ne le forcez pas, laissez-le bien se réveiller.

« Et s'il reste quatre heures sans pleurer ? »

Respectez son repos.

« Et s'il réclame au bout de deux heures ? »

Donnez-lui. Vous ne le rendrez pas capricieux. Plus il sera repu, plus vite il réglera ses horaires. Mais cela peut prendre plusieurs semaines. Ne vous en inquiétez pas.

La nuit

Suivez son rythme, de jour comme de nuit. Vous ne serez pas épuisée si vous écoutez bien ce conseil : pour ne pas vous fatiguer, nettoyez vos seins le soir, et quand l'enfant s'agite pendant la nuit, sans allumer, sans le changer, sans vous lever, sans vous asseoir, tournez-vous simplement sur le côté, prenez-le contre vous, et laissez-le téter.

Et ne craignez pas de l'étouffer. Ces étouffements que l'on redoute tant n'existent ni en France, ni en Océanie, ni en Asie, où pourtant les bébés dorment avec leur mère ! Tout à coup, vous vous réveillez : il a terminé, vous le reposez dans son lit ! Il n'y a pas de fatigue ainsi. Et votre mari appréciera de n'être pas dérangé par la lumière, la toilette, les pleurs…

Ce n'est pas céder au caprice : n'est-il pas normal qu'un nouveau-né, qui recevait il y a encore quelques heures, quelques jours, sa nourriture par les vaisseaux du cordon, vingt-quatre heures sur vingt-quatre, ne soit pas, par un coup de baguette magique, prêt à rester sept ou huit heures sans boire ? La plupart des enfants, neuf sur dix, réclament la nuit, à une heure et à cinq heures, jusque vers six semaines. Puis les pleurs se décalent d'eux-mêmes vers le matin, et la nuit devient complète. L'essentiel est d'allaiter sans se fatiguer, sans allumer, sans toiletter, tout perfectionnisme est inutile, et la décontraction une nécessité.

« Et s'il continue de prendre la nuit pour le jour ? »

Créez vous-même le contraste. Le jour, laissez le berceau près de la fenêtre, à la lumière naturelle, au bruit des oiseaux, de la maisonnée, avec un peu de musique… Promenez le bébé dans ces petites poches si bien faites, qui vous laissent les mains libres (et n'ayez pas peur pour sa colonne vertébrale, elle ne risque rien). Donnez-lui son bain. Changez-le quand il se réveille. Bref, faites que les journées soient bien remplies, sans agitation. En revanche, la nuit se passe tous feux éteints, sans bruits, paisiblement au chaud. Et le rythme s'installera en une à deux semaines.

« S'il dort ainsi les premiers jours et tète si peu, il va maigrir ! »

Oui, pendant trois à quatre jours. C'est normal. Ne regardez pas trop la courbe de poids, c'est l'aspect et le bien-être de l'enfant qui comptent. S'il est rose et tranquille, que signifie qu'il ait pris ou perdu cinquante grammes ? Rien.

Ne vous souciez pas des quantités bues

Il est normal que les premiers jours, le nouveau-né tète peu et que vous ayez peu de lait.

Le nouveau-né a besoin de vingt à trente grammes de lait par tétée. Croyez-vous que cela se sente en soupesant vos seins ? Le biberon transparent et gradué vous informerait mieux, pensez-vous ? S'il prenait dix grammes, vous seriez inquiète, et s'il buvait cinquante grammes et réclamait encore, vous craindriez pour son estomac... En fait, qu'est-ce que cela voudrait dire ? Il y a des tétées où un enfant boit dix grammes et d'autres cinquante, et il faut le laisser faire. C'est pourquoi il est aussi inutile de peser avant et après les tétées. Les seins ne sont ni gradués ni transparents, tant mieux. Cela se passe très bien ainsi, pour peu que vous ayez confiance en vous-même et en votre enfant. S'il dort, c'est qu'il est content et qu'il a trouvé ce qu'il lui fallait...

Ne minutez pas les tétées

De grâce, ne regardez pas votre montre. Pas plus votre montre que la balance. Au diable les mathématiques ! Bon, il a bu à peu près dix minutes au sein droit. Et il pleure. Il ne trouvera effectivement plus grand-chose. Mettez-le au sein gauche. Et décontractée, s'il vous plaît, allaitez allongée, rangez votre montre dans la table de nuit, prenez un livre, écoutez de la musique ou bien téléphonez à votre meilleure amie. Et laissez votre enfant téter tranquillement, sans être couvert par votre regard anxieux qui oscille de ses lèvres à la trotteuse…

S'il pleure après la tétée

Mettez-le dans son berceau ou contre vous et calmez-le. S'il est inconsolable, et que vous soyez lasse, vous avez bien le droit de penser à autre chose, demandez au besoin qu'on l'éloigne pendant une heure. S'il pleure toujours, il pourra alors téter à nouveau, et se calmera. Il est vrai que ce n'est pas toujours facile, il y a des jours comme ça. Car l'allaitement, surtout les trois premières semaines, est irrégulier comme tous les phénomènes naturels. Il y a des jours où l'on a beaucoup de lait, cela coule tout seul, le bébé vite repu dort quatre heures. Le lendemain, justement parce qu'il aura tété moins souvent, la quantité de lait diminuera un peu, et il pleurnichera toutes les deux heures. Répondez calmement à la demande, les tétées plus fréquentes réamorceront la pompe. Mais si, peu confiante en vos capacités nourricières, vous introduisez les fameux « biberons de complément », alors vous gavez votre enfant et le sein, insuffisamment stimulé, déclare bientôt forfait. C'est le processus dans lequel s'engagent les femmes qui diront qu'elles n'ont « pas de lait ».

Ce n'est pas de la tyrannie ; pendant trois semaines environ, la lactation s'installe et il faut s'adapter à la demande. Mieux vaut le savoir à l'avance, prévoir de rester tranquillement chez soi ces trois premières semaines, et ne pas se lancer dans de grands rangements, courses, etc. N'est-ce pas de toute façon une bonne chose que de rester tranquille durant le mois qui suit une naissance, et de vivre en tendre complicité avec le bébé ?

Les biberons freinent votre montée de lait

Pourquoi couper son appétit avec des biberons ? C'est cette impatience, cette crainte pour la courbe de poids, cette précipitation vers le lait en poudre qui tarissent aujourd'hui les seins des mères. Voilà pourquoi le Ministère de la Santé a interdit la distribution systématique de lait à la sortie des maternités. Soyez convaincue que si vous le laissez téter à volonté, un nouveau-né à terme bien portant fera remonter votre lait.

À chaque problème une solution

Vous n'avez pas les « bouts de seins » bien formés

Il en va, dirait-on, des seins comme des voitures de course. S'ils ne sont pas exactement profilés selon des normes internationales, allaitement impossible ! Les vôtres sont trop courts. Pour d'autres, ils seront trop rentrés ou trop gros.

Un pédiatre, qui pratique au Brésil, était fort étonné que les Françaises aient les seins si mal faits, alors que là-bas, paraît-il, elles allaitent toutes… En vérité, vous trouverez toujours quelqu'une, elle-même en mal d'avoir pu nourrir un enfant, qui vous convaincra que vos seins n'ont pas le profil qu'il faut. De grâce, observez que, lorsqu'un bébé boit son biberon, il s'empare avec ses lèvres de la partie la plus large de la tétine. La région des petits trous n'est faite que pour laisser couler le lait. Peu importe la longueur… Aussi, lorsque votre enfant n'a pas faim, ne pensez pas tout de suite que c'est à cause de votre conformation. Laissez l'appétit venir.

Il existe des moyens pour extérioriser le mamelon pendant la grossesse. Bouchut (cf. Biblio 5) engageait ainsi le mari à prendre la place de son enfant à venir. Mais

Vogel doutait de trouver, du moins en Allemagne, beaucoup de maris « assez galants pour rendre à leur femme un service de cette nature ». Le Dr Véronique Barrois importe aussi, au lactarium de l'Institut de puériculture, des sortes de coquilles en plastique transparent, venues d'Angleterre. Elles ont un double usage : appliquées sur les seins, dans le soutien-gorge, pendant la grossesse, elles extériorisent le mamelon ; pendant l'allaitement, elles le maintiennent au sec et recueillent le lait entre les tétées.

Même si ces « petits moyens » peuvent aider, ils ne sont pas indispensables.

Combien de femmes aux mamelons complètement ombiliqués allaitent sans difficulté ! Le problème de vos bouts de seins, c'est plutôt dans votre tête qu'il se passe. Parce qu'un jour, on vous aura dit : « Ma pauvre, avec les bouts de seins que vous avez ! » Et vous voilà vite convaincue, en cette phase vulnérable, d'incompétence maternelle.

Vous n'aurez pas de crevasses

Les crevasses sont la terreur des mères, la hantise des infirmières. Il est évident que la peau du mamelon est très fragile les premiers jours (même si le bébé ne naît pas comme Louis XIV avec des dents ! « De telle sorte, raconte Witkowski (cf. Biblio 17), que l'on fut obligé de changer plusieurs fois de nourrices à cause des morsures qu'il leur faisait et non, comme le prétend Dionis, parce que ce Prince avait un grand appétit. »).

Aussi les femmes passent-elles des heures à se masser, pommader, huiler, glycériner, alcooliser, sécher les mamelons… en vain, souvent. Sans compter que cela donne un goût que le bébé peut ne pas apprécier…

Voici une recette qui me semble, à l'usage, (presque) infaillible : dès qu'une douleur commence, vous laissez sur le mamelon pendant 48 heures de petits carrés de tulle gras, qu'on utilise habituellement pour les brûlures. Il suffit de l'enlever et de rincer au moment de la tétée (de toute façon, ce n'est pas toxique et ça n'a pas mauvais goût). Tout rentre vite dans l'ordre. Complétez le traitement en massant vos mamelons 5 minutes avant la tétée avec le gel Hyalomiel : ce produit prévient les gerçures, a goût de miel et n'est pas nocif.

Si vous souffrez pendant les tétées, vous pouvez aussi interposer une téterelle (ce qu'on appelle un « bout de sein »), sorte de tétine que l'on trouve en pharmacie, entre le sein et la bouche de l'enfant. Un bébé vigoureux sait très bien s'en servir et le mamelon ainsi protégé cicatrise vite. Ces petits moyens ont raison des fameuses crevasses, ne les laissez donc pas vous faire pleurer.

Vous n'aurez pas d'engorgement

Les fameux « engorgements » ! C'est un très mauvais mot. Il ne s'agit pas d'une rétention de lait dans les seins. Simplement d'une mise en route de la glande mammaire au troisième ou quatrième jour. Les cellules elles-mêmes se trouvent donc gonflées, congestives. Tirer le lait est traumatisant et inutile, on en recueille toujours assez peu, juste ce qu'il faut à l'enfant ce jour-là, sans plus. Ces manipulations ne soulagent pas. Elles stimulent la sécrétion, et découragent la mère.

Le traitement est autre. Tout d'abord, c'est la prévention par la mise au sein précoce qui stimule la production d'hormone ocytocine. Cette hormone favorise l'excrétion, c'est-à-dire la sortie du lait. Puis, c'est le respect des deux premiers jours où finalement l'enfant réclame peu, et laisse ainsi la glande se mettre doucement en route. Ne pas le secouer donc, par angoisse, pour le forcer à téter trop souvent. Au quatrième jour, c'est-à-dire au maximum de cette montée laiteuse, nous pouvons faire une injection d'ocytocine. Le moyen le plus efficace est d'appliquer sur les seins des compresses chaudes d'Antiphlogistine, sorte de boue décongestionnante, qui vous soulageront efficacement. Ne les laissez qu'une demi-heure, trois fois dans la journée. Surtout rassurez-vous, dès le lendemain, au cinquième jour, tout sera calmé. De grâce, rangez la tireuse barbare !

Traitez une lymphangite

Sur le sein vous avez repéré une zone plus rouge, c'est une lymphangite.

Devez-vous cesser la lactation ?

Non, s'il n'y a pas d'abcès constitué. Vous allez tout de suite calmer la congestion par un cataplasme d'Antiphlogistine et vous pouvez continuer de donner votre lait.

Si on ne traite pas cette lymphangite immédiatement, un véritable abcès peut se former. Votre médecin le traitera. Il guérira en quelques jours, pendant lesquels vous tirerez votre lait pour entretenir la lactation. En le jetant, pour que l'enfant ne boive pas de microbes. En quelques jours, vous pourrez reprendre l'allaitement.

Allaiter sous antibiotiques ?

On vous prescrira des antibiotiques que pourrait aussi bien prendre votre enfant, donc sans danger pour lui. La plupart des médicaments que vous prenez se retrouvent dans votre lait, mais sont sans danger pour l'enfant. Le seul moyen de savoir si on peut ou ne peut pas prendre un médicament est de demander conseil au médecin. Des études sont faites pour chaque produit, et sans cesse mises à jour quant aux conséquences possibles pour l'enfant. De nombreux antibiotiques comme la pénicilline permettent de poursuivre l'allaitement.

Voir page suivante un tableau pour vous guider dans le choix des médicaments.

Les médicaments et l'allaitement

Les études sur le passage des médicaments dans le lait maternel sont de plus en plus poussées. Sachez que beaucoup d'entre eux ne sont pas nocifs pour le bébé et permettent de poursuivre votre allaitement. Référez-vous au tableau suivant :

Médicaments permis	Selon l'avis de votre médecin	Médicaments interdits
Antibiotiques types : Pénicillines Ampicillius Céphalosphorines		Antibiotiques types : Gentaline Chloramphénicol Tétracyclines
	Barbituriques Valium Equansil	Morphines Tegretol Dilhydan Lithium
		Gynergène
	Digitaline Digoxine	Avlocardyl
Héparine		autres anticoagulants
	Lasilix	autres diurétiques
	Théophylline	
	Cortisone Pilule contraceptive	
Insuline laxatifs doux et mécaniques : Mucilages Paraffine		autres laxatifs
Aspirine (usage limité)		Paracétamol Amidopyrine
		Phénylbutazone

En résumé, vous pouvez très bien allaiter en prenant certains antibiotiques, de l'insuline pour votre diabète, de l'héparine, pour une phlébite, ou de l'aspirine à dose raisonnable, parce que vous avez mal à la tête…

Allaiter en cas de grippe fiévreuse ?

La fièvre n'empêche pas du tout d'allaiter, et votre lait n'est pas mauvais. Au contraire. Vous faites des anticorps contre le virus, et vous donnez ces anticorps à votre enfant, pour qu'il se défende mieux. Alors, allez-y. Ne craignez pas la contagion. Vous pouvez toutefois mettre un masque, si vous voulez, le premier jour. Mais il est peu fréquent qu'un nouveau-né au sein attrape le rhume de sa mère... Et il n'est pas impossible que ce masque blanc sur votre visage lui procure une impression étrange.

Il est classique pourtant d'interrompre l'allaitement dès qu'une femme est fébrile. C'est ainsi que, pour lutter contre ce préjugé, une mère bien décidée à nourrir son enfant, informée par la *Letche League* américaine de ce que son *common cold* était dénué de tout danger, a caché le thermomètre qui atteignait 39 degrés pour que l'équipe soignante la laisse donner le sein. Il va très bien...

Si l'origine de la fièvre est à l'évidence une rhino-pharyngite ou une infection qui n'a rien à voir avec le lait, vous pouvez donc continuer, sans vous fatiguer, et en vous traitant.

En revanche, s'il ne s'agit pas d'une simple grippe, si un microbe nocif est dans la glande mammaire ou dans le sang de la mère, donc dans le lait, il faut d'abord détruire le microbe, entretenir la lactation en tirant le lait pendant quelques jours, sans le donner à l'enfant, et, dès que la guérison est assurée par des prélèvements stériles, l'allaitement reprend comme avant. Donc, de toute façon, l'interruption n'est jamais définitive. Sauf si votre moral en est déprimé, et que vous vouliez arrêter. C'est à ce moment-là que votre entourage et l'équipe soignante doivent vous aider à franchir le cap.

De retour à la maison

Les trois premières semaines sont les plus pénibles

Sachez-le d'avance. Outre toute la nouvelle organisation qui vous attend, la responsabilité de ce petit être, vous serez confrontée à un rythme de tétées souvent anarchiques, des pleurs inexplicables... Ne vous en étonnez pas, restez calme, évitez simplement de vous fatiguer. Ce n'est pas le moment de recevoir toute la famille, les amis, de faire des courses lointaines, ou un grand rangement. Lisez, restez tranquille avec votre enfant et son père, et vous verrez que tout sera en ordre simplement. Ne laissez pas une personne étrangère à votre couple vous déprimer dans cette période fragile.

Si vous avez une baisse de votre lactation

Cela est normal. L'allaitement est un phénomène naturel, donc variable selon les jours. Il suffira de laisser votre enfant téter plus souvent les jours où vous avez moins de lait, pour que celui-ci coule d'abondance. Ne vous découragez pas.

Votre enfant fera revenir votre lait

La lactation peut reprendre dans des conditions même incroyables :

Binet disait : « Après une interruption même de cinq à six semaines, il peut y avoir retour de la lactation sous l'influence de la succion faite par l'enfant lui-même, le meilleur des galactogènes. »

Et Parrot (cf. Biblio 12) allait beaucoup plus loin : « Le pouvoir galactogène de la succion est démontré par des faits très curieux où l'on voit la sécrétion lactée s'établir chez des femelles non fécondées et même des mâles » (lactation dite hétérotrophe).

Il rapportait ainsi ce qu'avait écrit le médecin hollandais Diemerbroeck dans son *Anatomie du corps humain* (traduction française de 1688) : « Une femme de 66 ans, dont la fille était morte après avoir accouché, se chargea d'élever le nouveau-né. Ne sachant comment calmer ses cris, elle lui présenta plusieurs fois ses mamelles. Celles-ci finirent par donner du lait, elles arrivèrent à en sécréter en assez grande abondance pour que l'enfant ait pu s'en nourrir et se soit bien développé sans le secours d'un autre aliment. »

Croyez-vous que ce soient là des affabulations ? Dans le *Paris médical* du 20 septembre 1913, M. Audebert a relaté un fait identique. Une femme âgée de 62 ans, chargée d'élever sa petite-fille au biberon, eut l'idée de lui donner le sein pour l'amuser. Au bout de peu de temps, elle eut assez de lait pour allaiter l'enfant. La sécrétion persista un an.

Ces faits sont même suffisamment fréquents pour avoir fait, en 1912, l'objet d'une thèse de G. Reynier, contribuant à « l'étude de la lactation en dehors de la puerpéralité chez la femme adulte ». Il y raconte que c'est un usage traditionnel parmi les habitants du Cap-Vert lorsqu'une femme meurt, en nourrissant son enfant, d'obliger la plus proche parente, qu'elle soit mariée ou non, et quel que soit son âge, à nourrir le bébé privé de sa mère. Pour cela, la femme est soumise à un ensemble de pratiques bizarres consistant dans l'application de feuilles de ricin sur les seins, et dans l'emploi de fumigations chaudes vers les parties génitales. L'enfant est en outre approché plusieurs fois par jour du mamelon. Après trois ou quatre jours au plus, la sécrétion lactée s'établirait. Une femme peut donc sécréter du lait même en dehors d'une grossesse.

« En l'an 1670, raconte Venette, Mme La Pérère fut obligée de quitter Saint-Christophe et de s'embarquer pour revenir en France. Elle avait une petite fille de deux mois à la mamelle de sa nourrice. Après qu'on eut mis à la voile, n'ayant pas trouvé la nourrice qui s'était dérobée au dernier moment, et était restée à terre volontairement, elle fut obligée de nourrir son enfant avec du biscuit, du sucre et de l'eau ; cette petite ne pouvait se contenter de ces aliments. Elle incommodait par ses cris tous les passagers, et l'on conseilla à la mère de faire amuser son enfant aux dépens d'une jeune négresse qui l'accompagnait. Mais l'enfant ne fut pas plus tôt au sein qu'elle lui fit venir suffisamment de lait pour se nourrir. »

Witkowski (cf. Biblio 17) rapportait cette histoire dans son livre la *Génération humaine* car, pour anecdotiques qu'ils soient, ces faits montrent bien comment une mère ne doit pas se décourager parce que sa lactation a un peu diminué depuis deux jours... La succion vigoureuse de l'enfant suffira à renforcer le flux !

Si votre bébé pleure
Deux situations sont possibles :

Il prend régulièrement du poids. Ce n'est donc pas un manque de lait. Essayez alors de le calmer

— en le berçant ;
— ou en le portant en poche sur votre ventre ;
— en satisfaisant son besoin de téter par une sucette (mais attention, s'il la perd, ne pouvant la reprendre tout seul, il pleurera encore plus souvent !) ;

— ou en le laissant pleurer, car peut-être cherche-t-il simplement son sommeil.

Si cela persiste, consultez votre médecin.

Il ne grossit pas : alors oui, il manque sans doute de lait. Ne complétez pas avec des biberons, car alors votre lactation ne reprendra pas. Allongez-vous et prenez parti de le laisser téter à volonté 2 ou 3 jours. Et votre lactation reprendra.

La nuit

La plupart des enfants réclament une tétée la nuit vers 1 heure et une tétée vers 5 heures. Les horaires se modifient progressivement, et ce besoin de boire disparaît vers six semaines quelle que soit la méthode employée, donner une tétée ou le laisser pleurer. Alors, autant lui donner le sein, c'est moins fatigant que de l'entendre pleurer plusieurs heures ! Et plus profitable à son équilibre et à sa croissance !

Reposez-vous, car :

L'allaitement ne fatigue pas mais la fatigue diminue la lactation

L'allaitement ne fatigue pas. Les femmes des pays pauvres ont du lait dans des conditions de misère et d'épuisement extrêmes. Ce n'est donc pas la fatigue ménagère d'une Occidentale, ou après césarienne, qui vous empêchera d'avoir du lait.

En revanche, si vous êtes sous une extrême tension nerveuse, angoissée par mille conseils divergents que vous livre votre entourage, harcelée par un aîné qui pleurniche sans arrêt, ou boudée par un mari qui se croit délaissé, alors oui, cette « déprime » fera baisser votre quantité de lait. Il faut donc que votre cercle familial sache qu'un climat serein et calme vous est indispensable. Limitez les visites des amis les premières semaines, comme les grands rangements ou les courses lointaines. Restez au calme, n'en faites pas trop, et votre lait coulera.

Manger, boire et fumer en allaitant

Que manger pour avoir plus de lait ?

Des cerises ? Pourquoi vous en priver ? De crainte de rendre malade votre enfant ?

L'espèce humaine est par définition omnivore. Mangez de tout, de façon équilibrée, et vous n'aurez pas de problèmes. Deux poignées de cerises n'ont jamais donné de coliques. Un kilo, oui, bien sûr.

L'ail, le chou ? On a dit qu'ils dégoûtent l'enfant ! Je ne l'ai pas constaté si le bébé les connaît dès la naissance.

Les coutumes alimentaires de la femme doivent être respectées, pour son bonheur, et parce qu'ainsi, nous l'avons vu, l'enfant acquiert les goûts alimentaires de la famille.

Pour un lait abondant ?

Certaines recettes anglo-indiennes sont réputées favoriser la montée laiteuse. Ainsi :

— Dans trois litres d'eau, faire bouillir une heure à feu couvert : 6 cuillerées à soupe d'orge entier, 6 cuillerées à soupe de figues sèches coupées en morceaux, 1 poignée de raisins secs.

Mixer, tamiser, mettre au réfrigérateur. En boire un grand verre après chaque tétée, sucré (facultatif) au sucre brun.

— Manger du :
cumin (en grains) ;
fenouil (en grains, en salade) ;
de l'anis vert.

Que boire ?

Du café ?

Une ou deux tasses. Si vous en buvez plus, ne vous étonnez pas que votre bébé soit ensuite excité !

Du champagne ?

Volontiers, pour fêter sa naissance. Mais n'exagérez pas non plus…

Suivre un régime pour maigrir ?

Bien sûr ! Restreignez les calories en gardant un bon équilibre protides, glucides, lipides. Beaucoup de femmes très maigres ont énormément de lait, au point qu'elles en donnent au lactarium.

Fumer ?

La nicotine passe dans le lait, cela ne fait aucun doute, comme elle le faisait dans le placenta. Si vous fumez une cigarette après chaque repas, c'est négligeable. Mais consommer un paquet n'est bon ni pour votre enfant ni pour vous d'ailleurs.

Sortir et travailler en allaitant

Sortir en allaitant ?

Le rêve ! Et c'est tout à fait normal. Tout le problème est là actuellement. Nous expliquons aux femmes qu'il faut allaiter, mais nous ne les aidons pas toujours à bien réussir ou à rendre compatible cet allaitement avec une vie moderne. Pourtant c'est aujourd'hui tout à fait possible.

Comment ?

D'abord, parce que passées trois semaines, le bébé est souvent plus calme et espace naturellement les tétées.

Mais surtout parce qu'il existe actuellement des moyens simples pour se libérer, toutes sortes de « tireuses » plus douces et plus efficaces les unes que les autres. Il suffit d'appliquer un « biberon tire-lait » sur le sein, et par des mouvements de piston avec la main (comme une pompe à bicyclette), vous recueillez tout naturellement le précieux liquide. Le piston sert alors de biberon, une tétine s'adapte dessus. Vous pouvez le donner aussitôt à l'enfant ou bien le mettre au frigidaire. Que vous vouliez sortir, dormir, compléter une tétée, votre lait recueilli sera là, prêt à l'usage. Vous le réchaufferez dans un peu d'eau tiède. Il se conserve 24 heures au réfrigérateur, et garde toutes les propriétés de la nature. Si vous avez un congélateur, vous pouvez même en faire des réserves utilisables des mois…

La congélation préserve en effet au lait maternel la plupart de ses qualités, ses rapports chimiques, ses protéines spécifiquement humaines, la plus grande partie des anticorps. Donc vous n'avez pas de risque d'intolérance aux protéines du lait de vache, en particulier, et moins de risque de diarrhée. La constitution, le goût, sont ceux du lait maternel. Seules les cellules vivantes ne résistent pas à la congélation. De plus, même si vous n'avez pas donné la tétée proprement dite, ayant tiré votre lait en prévision d'une sortie, d'une nuit de repos… vous avez tout de même entretenu votre lactation, stimulé vos seins.

Quand utiliser la méthode de conservation de son lait ?

À la fin du premier mois. On arrive à un rythme de croisière, l'enfant est généralement mieux réglé, et si l'on n'a pas « complété », le lait est abondant.

C'est alors qu'on peut recueillir et conserver le lait maternel, par exemple une fois par jour ou tous les deux jours, pour se libérer un peu. Quelques semaines plus tard, munie des sachets stériles, congelés, vous pourrez partir en vacances par exemple une semaine, en tête-à-tête avec votre mari, en confiant enfant et biberons à une personne sûre, et reprendrez l'allaitement en rentrant. Ce sera sans doute bien appréciable.

Est-ce utopique ? Non. Certaines mères pratiquent volontiers cette adaptation de l'allaitement à la vie moderne.

Travailler en allaitant

En aucun cas il ne faut compromettre votre emploi. Il est regrettable que seuls les établissements bancaires permettent un congé pendant que la femme nourrit son bébé au sein. On devrait considérer l'allaitement, et aussi bien d'ailleurs les soins apportés par la mère à son enfant, comme une sorte de service civique. Toutes les facilités devraient être données, aussi bien stabilité de l'emploi, ressources financières... En dépendent le bien-être et l'équilibre des hommes et des femmes qui constitueront la société de demain.

En attendant que les réglementations soient plus favorables pour vous qui, comme la plupart des mères, devez reprendre rapidement votre vie professionnelle, vous pourrez, si cela vous plaît, continuer une tétée le matin, une en fin d'après-midi et une le soir. (Si vous en avez la disponibilité et la facilité, vous aurez pu, en plus, conserver quelques biberons de votre propre lait qui seront un bon relais. Mais il faut bien dire que le temps manque, lorsqu'il faut aller chaque jour travailler dehors...)

Après une césarienne

Pendant longtemps, on a décrété qu'après une césarienne, une femme ne pouvait pas allaiter. Cette affirmation était sans recours et sans discussions possibles. Si l'on admet aujourd'hui qu'une césarienne n'empêche pas du tout de bien nourrir, un écran invisible se dresse spontanément entre la mère et l'enfant : la fatigue, la douleur, les suites opératoires paraissent autant de raisons pour donner tout d'abord des biberons à l'enfant, pendant un ou deux jours. Ce n'est qu'ensuite, lorsque la mère sera totalement radieuse, qu'elle mettra son rouge à lèvres et prendra le téléphone, ce n'est qu'alors, en général, que le sein sera proposé à l'enfant. Comment s'étonner que, dans ces conditions, souvent en effet, cela marche mal ?

Nous faisons autrement : en entrant dans la chambre la femme geint, réclame à boire. Car il est vrai, bien sûr, que les heures suivant l'opération sont souvent assez douloureuses… De son enfant, elle ne dit mot, la douleur domine. Mais de simples paroles : « Votre petite fille va très bien, elle est parfaite », rassurent, dans un moment pénible. Nous prenons le bébé, nous dégageons doucement le sein de la femme dolente, l'enfant cherche, tète quelques minutes et s'endort. La mère, rassurée, se détend, elle passe le bras autour de son petit. Elle s'endort, ne répond pas, elle ne se rend pas tout à fait compte !...

On répétera les tétées au cours de la journée tandis que la mère émergera petit à petit, et retrouvera son sourire. Elle vous dira plus tard comme elle se souvient du bébé contre elle, de la première tétée. Elle vous dira combien, après ce vide froid que l'on ressent au cours du passage en salle d'opération et le réveil le ventre en spasmes, ce vide a été chaudement comblé par cet enfant, cherchant son sein, se fondant à nouveau dans son corps à elle. « Je n'ai rien pu vous dire à ce moment-là, docteur, mais ça m'a fait du bien. »

Les enfants à problèmes

Il est prématuré

Vous êtes séparée de votre nouveau-né à la naissance parce qu'il lui manque quelques semaines de maturité pour pouvoir réguler sa température et téter vigoureusement. Il peut être indispensable de le maintenir pendant ce délai dans un incubateur et de lui apporter le lait directement dans l'estomac par une petite sonde.

Vous allez tirer le lait toutes les deux, trois heures et non pas trois fois par jour, même si votre lait est peu abondant.

En ces premiers jours, il ne faut pas tirer dans l'espoir d'en avoir assez pour l'enfant. Il est important de le faire dans le but de déclencher le processus. Donc, s'y astreindre toutes les deux ou trois heures, les deux seins, environ dix minutes. Si vous ne recueillez que quelques gouttes, ce n'est pas la question, vous compléterez avec du lait de nourrice, que d'autres femmes, plus avancées dans leur allaitement, veulent bien donner. Ce qui compte, c'est que vous demandiez à vos seins de produire comme si l'enfant était près de vous, aussi souvent. Alors, en quelques jours, le lait coulera d'abondance. Vous le porterez à votre nourrisson et, grâce à vous, il grandira vite. Bientôt, vous le prendrez dans vos bras, et il tétera directement.

Dès que vous serez valide, vous pourrez aller près de lui, lui parler et le toucher tant que vous voulez. Il saura bien téter et vous le mettrez alors au sein.

On nous dit parfois qu'allaiter est fatigant pour une mère déjà éprouvée par le transfert loin d'elle de son nouveau-né.

Recueillir doucement, gentiment, sans exigence quant au résultat, n'est pas en soi fatigant... Le biberon tire-lait décrit plus haut est pour cela beaucoup moins agressif que la tireuse électrique. Volumineuse, bruyante, plus difficile à nettoyer, à régler, la tireuse a quelque chose de trop mécanique. Certaines femmes, cependant, la préféreront. Elles sont peu nombreuses, mais en la matière, il faut respecter le choix de chacune. Ce qui est fatigant, angoissant, c'est de croire qu'aujourd'hui il soit indispensable de recueillir tant ou tant de grammes. Ce qui est déprimant, c'est de savoir son enfant loin, de craindre qu'on ne vous dise pas toute la vérité, qu'il ait des problèmes... Tandis que les autres mères sont là, dans les autres chambres, avec le leur. Aussi est-il au contraire antidépressif de fabriquer pour son enfant ce précieux liquide que seule la mère peut lui donner. Un lien par le lait se crée, la femme est valorisée, son bébé n'est pas « l'un de ces prématurés dans l'une de ces couveuses », mais le seul, l'unique qui est nourri de son lait, à elle.

Ils sont jumeaux

Vous pouvez parfaitement les allaiter tous les deux. De même que si vous n'avez qu'un sein fonctionnel, vous pouvez avoir assez de lait pour un enfant, avec deux seins vous pouvez avoir assez de lait pour vos jumeaux.

« Mais cela doit être épuisant ? »

Non. Il est aussi simple de mettre les enfants au sein en même temps, ou l'un après l'autre, que de donner des biberons et des tétées. L'expérience montre que si vous mélangez les deux méthodes, vous n'aurez pas un instant de répit et serez plus fatiguée. Vous abandonnerez plus vite. Par contre, si vous donnez le sein aux deux bébés, comme une chatte allaite plusieurs petits, vous aurez suffisamment de lait et n'y passerez pas plus de temps qu'avec un seul enfant !

Sevrez quand vous voulez

Pour un allaitement court, donner des biberons « de complément » dès la maternité entraîne une lactation faible. Vous donnerez de plus en plus de biberons et votre lait se tarira rapidement.

Pour un allaitement de 3 mois, introduisez un biberon par jour dès l'âge d'un mois pour habituer bébé au goût de la tétine. Puis substituez progressivement le biberon aux tétées.

Pour un allaitement prolongé, vous passerez facilement du sein à la cuillère. Le goût du lait maternel est si varié qu'il prépare l'enfant à aimer tous les plats familiaux. Déjà baigné dans le liquide amniotique parfumé de curry ou d'ail, il continue, par votre lait, de savourer les épices que vous aimez. Aussi n'est-il pas nécessaire, ni même souhaitable, d'apporter trop tôt des éléments étrangers, protéines allergisantes pour ce petit organisme non immunocompétent (c'est-à-dire ne pouvant pas se défendre contre l'agression extérieure). Cinq à six mois est la bonne date pour apporter légumes, fruits, croûte de pain, viande ou poisson. Auparavant, il utilise les produits de votre lait, qui sont spécifiquement ceux de son espèce et de son patrimoine génétique, pour constituer ses forces sans intervention de molécules étrangères. Ne vous laissez pas impressionner par les présentoirs de pharmacie qui proposent les pots de légumes-viande « dès deux mois »... Cela est peut-être valable pour les enfants au biberon, dont le goût est monotone, de façon à les préparer à aimer autre chose. Au sein, ce n'est pas utile. Laissez, si vous le pouvez, votre enfant à l'abri des impuretés étrangères jusqu'à ce qu'il se soit fait une barrière immunologique, vers cinq-six mois. Et n'ayez crainte, il prendra vite alors avec sa main tel ou tel aliment, il aimera tout. Il dévorera la vie avec curiosité.

Vous garderez une belle poitrine

Oui, les chirurgiens esthétiques l'affirment, ils n'ont pas plus de demandes plastiques après l'allaitement. La poitrine semble même avoir plus de risque d'involution (c'est-à-dire de diminution) après une grossesse sans allaitement.

Simplement, portez un bon soutien-gorge, sauf pour dormir. Et évitez, grâce à la tétée précoce comme je vous l'ai expliqué, « l'engorgement » du quatrième jour.

Bibliographie

1. J. de Ajurriaguerra — *Manuel de psychiatrie de l'enfant*, Paris, Masson, 1974, 2e éd.

2. E. Herbinet et M.C. Busnel — « l'Aube des sens », *Les Cahiers du nouveau-né*, 5, Paris, Stock, 1982.

3. E. Herbinet — « D'amour et de lait », *Les Cahiers du nouveau-né*, 3, Paris, Stock, 1980.

4. E. Antier, C. Amiel-Tison — *L'allaitement maternel*, Résultats d'une enquête en maternité, Ann. Pédiat., 29, 7, 1982, pp. 482-487.

5. E. Bouchut — *Traité des maladies des nouveau-nés, des enfants à la mamelle et de la seconde enfance*, Paris, Germer-Baillière, 1866, 5e éd.

6. F. Giroud — *Si je mens*, Paris, Stock, 1972.

7. J. Grancher, J. Comby, A.B. Marfan, *Traité des maladies de l'enfance*, Paris, Masson, 1897-1898, 5 vol.

8. M. Guinan, D. Scharberg, F.W. Bruhn *et al.* — *Epidemic Occurence of Neonatal Necrotizing Enterocolitis*, Amer. J. Dis. Child, 133, 1979, pp. 594-597.

9. R.A. Lawrence — *Breast Feeding : A Guide for Medical Profession*, Missouri, Saint Louis, C.V. Mosby Company, 1980.

10. A.B. Marfan — *Les affections des voies digestives dans la première enfance*, Paris, Masson, 1930, 2e éd.

11. R.O. Parke, S. O'Leary, S. Xest — *Mother, Father, Newborn Interaction : Effects of Maternal Medication Labor and Sex of Infant*, Amer. Psychol. Ass. Proc., 1972.

12. J. Parrot — *L'athrepsie*, Paris, Masson, 1877.

13. L. Pernoud — *Il ne fait pas bon être mère par les temps qui courent*, Paris, Stock, 1981.

14. D. Raphaël — *The Tender Gift : Breast-Feeding*, New York, Schocken Books Inc., 1976.

15. B. Spock — *Raising Children in a Difficult Time*, New York, W.W. Norton and Compagny Inc., 1974.

16. G. Variot — *Traité d'hygiène infantile*, Paris, Octave Doin et fils, 1910.

17. A. Witkowski, *La génération humaine*, Paris, 1883.

Table des matières

Deuxième partie

M'allaiter ? pas facile, aujourd'hui !

Troisième partie

Drôle de société

Le petit guide pour un allaitement à la carte

IMPRIMÉ EN FRANCE PAR BRODARD ET TAUPIN
22415 - La Flèche (Sarthe), le 27-01-2004.

pour le compte des
Nouvelles Éditions Marabout
D.L. n° 44139 - février 2004
ISBN : 2-501-03203-9/Éd.06